Außer Kontrolle

Pflege bei Harn- und Stuhlinkontinenz

Thomas Boelker . Dietmar Hegeholz . Wolfgang Webelhuth

Edition Partikel

Außer Kontrolle Pflege bei Harn- und Stuhlinkontinenz

Herausgeber Thomas Boelker, Dietmar Hegeholz, Wolfgang Webelhuth
Redaktion Thomas Boelker
Verlag Tabea Noreiks - Edition Partikel - Leipzig
Umschlagfotografie © Evelyn Meusel

ISBN 3-00-017179-7
Kontakt www.edition-partikel.de
Druck Buch- und Kunstdruckerei Keßler GmbH, Weimar

Die Erkenntnisse in Pflege und Medizin unterliegen einem laufenden Wandel durch Forschung und klinische Erfahrungen. Herausgeber und Autoren haben viel Arbeit darauf verwendet, dass die Angaben dem Wissenstand bei Fertigstellung entsprechen. Daher übernehmen Herausgeber und Autoren keine Garantie und keinerlei Haftung für die Vollständigkeit und Richtigkeit der Angaben und der daraus resultierenden Folgen. Besonders bei medizinischen Handlungsanweisungen und Dosierungen ist der Benutzer angehalten, zu überprüfen, ob die angegebenen Daten dem aktuellen Erkenntnisstand entsprechen.

Inhalt

PROLOG

Neben dem Erlernen der Sprache ist die Erziehung zur Harn- und Stuhlkontinenz eine der wesentlichen sozialen Normen in unserer Gesellschaft. Defizite in diesem Bereich führen nicht selten zur Ausgrenzung und Isolation.

Kontinenz zu fördern und Hilfen anzubieten, die therapeutisch nicht zugängliche Inkontinenz so gut wie möglich zu kompensieren, ist Anliegen dieses Buches: ein Buch für die Pflegeberufe, das den Pflegenden ein umfassendes Wissen über Kontinenzstörungen, ihre Konsequenzen und individuelle Konzepte für pflegerische Interventionen vermitteln soll.

Als Herausgeber dieses Buches nehmen wir natürlich die Autorenrolle ein, sehen uns aber vor allem auch als Pacemaker und Katalysatoren bei der Umsetzung des Projektes. So war uns klar, dass die Vermittlung umfassenden Wissens über ein so breit gefächertes und vielschichtiges Thema die Mitarbeit von Spezialisten erfordert. Wir freuen uns daher, dass wir die »passenden« Mitautoren für dieses Projekt gewinnen konnten. Unser Buch soll nicht jede denkbare Nische des Themas ausleuchten, sondern vielmehr die zentralen und praxisrelevanten Aspekte so praxisnah und verständlich wie möglich darstellen.

Last, but not least haben wir uns viel Mühe gegeben, dieses Buch lesefreundlich zu gestalten: schließlich ist es ja unser Wunsch, dass es auch gelesen wird und einen nachhaltigen Beitrag dazu leistet, die Qualität in der Pflege von Menschen mit Kontinenzstörungen zu verbessern.

Thomas Boelker . Dietmar Hegeholz . Wolfgang Webelhuth

*Wir denken selten an das,
was wir haben, aber immer
an das, was uns fehlt.*
Arthur Schopenhauer

1. Außer Kontrolle

Der Titel dieses Buches vermittelt möglicherweise den Eindruck, es handele sich um einen Psychokrimi, die Beschreibung einer Naturkatastrophe oder einen Terrorangriff auf die Staumauer einer Talsperre. Das ist nicht so weit gefehlt: für den Menschen, der von Inkontinenz heimgesucht wird, ist es vielleicht all das auf einmal.

Wenn wir unsere Mitmenschen danach fragen würden, welches das höchste Gut in ihrem Leben ist, würden sie sicherlich **nicht** antworten:

»... dass ich regelmäßig meine Geschäfte erledigen kann« oder, »... dass meine Blase dicht ist.« Wie aber so oft im Leben wissen wir auch hier Qualitäten erst dann besonders zu schätzen, wenn sie verloren gegangen sind. Und **dann** würde in einer Wertigkeitsskala der Verlust an Lebensqualität durch Inkontinenz ohne Zweifel einen besonders hohen Rang einnehmen.

Wer nicht mehr wie selbstverständlich entspannt, ohne Druck und Angst seine »Geschäfte« erledigen kann, wer nicht mehr »ganz dicht« ist, der erlebt anders. Da drehen sich alle Gedanken, Planungen, Aktionen, der ganze Alltag eben nur noch um dieses eine Thema ...

Zusätzlich erschwerend ist, dass dieses nach wie vor ein Tabuthema ist. Es fällt auf, dass es von allen Beteiligten nur verschämt und verdeckt angesprochen wird. Ebenso verdeckt kommt es bei den Patienten auch zu gesundheitsgefährdenden Verhaltensweisen wie das »harnsparende« Trinkverhalten. Nur der offene, für Beratung empfängliche Umgang mit der Inkontinenz kann dann vor den Folgen des reduzierten Trinkens bewahren und Strategien zur Kontinenz ermöglichen bzw. die Inkontinenz bestmöglich kompensieren. Trocknende Unterhosen auf Heizkörpern sind kein Indiz für Lebensqualität!

Kontinenzstörungen bleiben nicht ohne Folgen. Sie wirken sich ebenso auf die Patienten wie auch auf ihr soziales Umfeld und – nicht zuletzt – auf Pflegende aus. Als physische Folgen können beim Patienten z. B. Hautschäden im Intim- und Analbereich oder (oftmals chronisch rezidivierende) Harnwegsinfektionen auftreten.
Nicht weniger gravierend sind psycho-soziale Auswirkungen: Betroffene empfinden Ekel vor sich selbst, wie sie ebenso auch angeekelte Reaktionen in ihrem sozialen Umfeld und bei Pflegenden erleben. Die Inkontinenz bringt sie immer wieder in unangenehme, peinliche Situationen, zumal das Thema durch Eingriffe in die Intimsphäre sehr mit Schamgefühlen besetzt ist. Unverständnis für Entstehung und Symptome der Inkontinenz führen von Seiten Angehöriger und Pflegender nicht selten zu Überforderungen der Betroffenen. Vorwürfe und Schuldzuweisungen (»Jetzt hast du schon wieder ...«) provozieren Schuldgefühle. So führt eine enorme Verunsicherung oft zu Regressionstendenzen und schließlich in soziale (Selbst-)Isolation.

Angehörige und Freunde der Betroffenen erleben in gleicher Weise Peinlichkeit, Geruchsbelästigung, Regression oder auch die finanziellen Belastungen. Besonders belastend ist dabei oft die Abhängigkeit von der Versorgungssituation. Zum einen ist es der Retro-Effekt, wenn z. B. die Tochter bei der Mutter jetzt in gleicher Weise die Inkontinenz-Vorlage wechselt wie damals die Mutter die Tochter gewickelt hat. Zeitlich uneingeschränkt für Vater, Mutter oder den/die Partner/in da sein zu können, führt sehr oft in eigene Isolation (»Freunde ziehen sich zurück«) und bietet darüber hinaus auch Konfliktpotential in den Beziehungen zum/zur Betroffenen oder auch wegen mangelnder Präsenz in der eigenen Familie. Oft kann man den Eindruck gewinnen, dass gerade die helfenden Angehörigen die eigentlichen Verlierer sind, sofern es ihnen nicht gelingt, sich genügend abzugrenzen und die eigenen Ressourcen im Blick zu behalten.
Gern zitiert wird das Gebot »Du sollst deinen Nächsten lieben wie dich selbst!« Nicht schlecht, aber eben: **Wie dich selbst.** Auf Dauer ist es allein diese biblische Sicht der Dinge, die ein Burn-Out der Helfenden verhindert.

Ratlosigkeit macht sich nicht selten breit, wenn es um Hilfe und Beratung durch Ärzte und Pflegende geht. Noch sind die Kompetenzen hier leider sehr dünn gesät, und das ist besonders erstaunlich, wenn man bedenkt, dass die Prävalenz nicht gerade gering ist (ca. 5 Millionen Betroffene).
Ein großer, vielleicht sogar der größte Teil pflegerischer Versorgungssituationen spielt sich im Bereich der Ausscheidungen ab. Das Defizit im Wissens-

gebiet der Kontinenzstörungen ist demgegenüber immer noch riesig, und von einem breit angelegten Beratungsnetz müssen wir noch träumen ...

Darüber hinaus beschäftigt die versicherten Kranken heute oftmals die Frage der Finanzierung notwendiger Hilfsmittel – ein immer problematischeres Thema und oft genug unwürdiges Szenario. Auch der Sprachgebrauch der Angehörigen und Pflegenden ist zu überdenken: so sind Begriffe wie »Vorlage« oder »Inkontinenzslip« denen wie »Windel« oder »Pampers« unbedingt vorzuziehen. Auch das ist nicht zuletzt eine Frage der Würde. Dem § 1 unseres Grundgesetzes werden aber gerade hier oft die Grenzen aufgezeigt: Die Würde des Menschen **ist** antastbar! Sorry, das ist das wirkliche Leben.

Eine besondere Herausforderung für uns Pflegende sind Kontinenzstörungen allemal. Zum Einen ist der Umgang mit Ausscheidungen nicht gerade ein Hobby unserer Profession. Wenn sich dann drei wie wir und wohl auch Sie (schließlich lesen Sie unser Buch!) mit gesteigertem Interesse dieser Dinge annehmen, hat das für manche fast schon etwas Perverses. Andererseits machen solche wie wir uns dadurch beliebt, dass wir auch dann ansprechbar sind, wenn es »schmutzig« und »anrüchig« wird. Gerade dann, wenn der Patient eine Bitte um Hilfe beim Toilettengang, um Wechsel der Vorlage oder auch Wechsel eines Stomabeutels äußert, ist die unbedingte und unverzügliche Bereitschaft der Pflegenden wichtig, um Vertrauen zu schaffen und Resignationstendenzen des Patienten entgegenzuwirken. Den Pflegenden wird ein gesundes Maß an Sensibilität, Diskretion und Verantwortungsgefühl abverlangt, denn Menschen mit Kontinenzstörungen sind in besonderer Weise von solchen Verhaltensweisen abhängig. Diese sind (nicht zertifizierte) Qualitätsmerkmale, welche auch die Kontinuität der Pflegekonzepte und eine spürbare, Erfolg versprechende Einigkeit im Pflegeteam sicher stellen.

Gute Arbeit erfordert gutes Fachwissen! Das gilt auch für Wissen über Kontinenzstörungen, welches in den Grundausbildungen der Pflegeberufe noch immer zu kurz kommt. Nicht zuletzt hier ist der Hebel im Sinne der Qualitätssicherung anzusetzen, ebenso in der Förderung von Fort- und Weiterbildungen. Nur so kann die Qualität der Pflege bei Menschen mit Kontinenzstörungen wirklich und nachhaltig verbessert werden.

Thomas Boelker

2. Anatomie & Physiologie

Unterer Harntrakt und Steuerung der Harnkontinenz

Die Harnblase (Vesica urinaria) liegt im kleinen Becken hinter der Schamfuge dem Beckenboden auf. Sie ist oben von Bauchfell (Peritoneum) überzogen und kann sich in der Füllungsphase, immer der vorderen Bauchwand angelehnt, nach oben hin über das Schambein hinaus erweitern. Ihr Fassungsvermögen beträgt etwa 500 ml, Harndrang setzt bei ca. 300 ml ein. Die Harnblase ist in der Lage, in der Speicherphase zunehmende Füllungsmengen weitgehend druckfrei zu speichern, da die Harnblasenwand die zunehmende Füllung kontinuierlich durch Dehnung ausgleicht. Erst in der Nähe der maximalen Füllung steigt der Druck in der Harnblase an. Ist die Kapazitätsgrenze erreicht, so registrieren Dehnungsrezeptoren die Blasenfüllung. Es kann dann kontrolliert eine Kontraktion der Harnblasenmuskulatur eingeleitet und somit die Miktion ausgelöst werden. Speicher- und Entleerungsphasen der Harnblase werden nerval gesteuert. Folgende Nervensysteme sind an dieser durch wechselseitige Aktivierung bzw. Hemmung von Blasenwand- und Blasenschließmuskeln beteiligt:
Vegetativ innerviert das Parasympathische Nervensystem über den N. pelvicus aus dem sakralen Miktionszentrum S_2–S_4 und das Sympathische Nervensystem über den N. hypogastricus aus dem thorakalen Grenzstrang Th_{10}–L_2.
Somatisch läuft die Innervierung über Äste des N. pudendus aus den Segmenten S_2–S_4 und separaten somatomotorischen Fasern aus S_2–S_3.

Das sakrale Miktionszentrum steuert eine reflexhafte Blasenentleerung bei zunehmender Blasenfüllung. Erst die Hemmung dieses Reflexbogens über eine zentralnervöse Verschaltung mit dem Miktionszentrum im Hirnstamm ermöglicht eine ausreichende Blasenfüllung. Wird bei zunehmender Blasenfüllung die Kapazitätsgrenze erreicht, so werden diese sensorischen Impulse an den Hirnstamm weitergeleitet. Von dort aus wird über absteigende Bahnen die Hemmung des sakralen Miktionszentrums bei S_2–S_4 reduziert und so der Miktionsreflex eingeleitet. Vom sakralen Miktionszentrum ziehen parasympathische Fasern im Nervus pelvicus zum Detrusor vesicae und leiten dort die Blasenkontraktion, sprich Entleerung, ein. Gleichzeitig erhält die quergestreifte Beckenbodenmuskulatur über somatomotorische Nervenbahnen Impulse zur Erschlaffung. Dieser ganze Prozess wird zudem bewusst über die Großhirnrinde gesteuert und ermöglicht die willentliche Kontrolle des Miktionsvorgangs. So kann die Harnblase bewusst weit vor der Kapazitätsgrenze entleert werden; umgekehrt ist der Harndrang bei voller Blase durch ständige hemmende Impulse an den Blasenmuskel und durch Kontraktion der quergestreiften Beckenmuskulatur als Teil des Sphinkterapparates lange Zeit unterdrückbar.

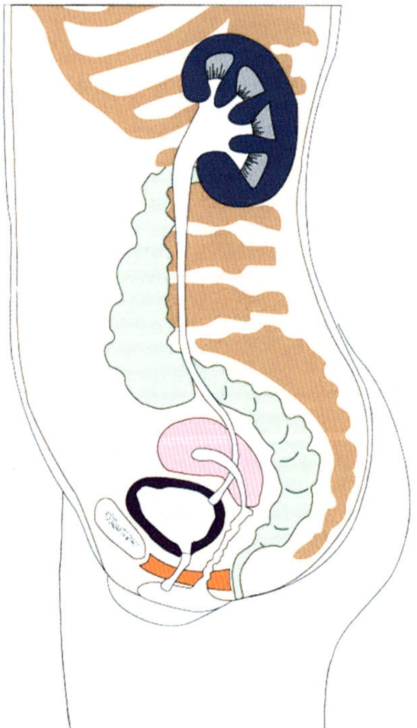

Die Urinentleerung (Miktion) wird durch die Kontraktion des Blasenwandmuskels eingeleitet. Dies führt zu einem Druckanstieg in der Blase. Gleichzeitig wird der Blasenhals durch die besondere Muskelstruktur und Muskelanordnung im Blasentrigonum geöffnet. Zusätzlich erschlafft die glatte Muskulatur im Harnröhrenbereich als innerem Schließmuskelsystem sowie die quergestreifte Beckenbodenmuskulatur als Bestandteil des äußeren Schließmuskelsystems. Dieser Vorgang ermöglicht die Blasenentleerung innerhalb von 15 bis 20 Sekunden. Der Miktionsdruck innerhalb der Blase beträgt dabei bei Frauen etwa 30 cm H_2O, bei Männern aufgrund des durch die Prostata erhöhten Auslasswiderstands 50 cm H_2O.

Die Harnblase geht am Blasenhals in die Harnröhre (Urethra) über. Der Blasenhals und die proximale Harnröhre sind der Teil des Verschlussapparates der Blase, der durch einen unwillkürlichen Dauertonus wesentlich zum Harnblasenverschluss und damit zur Kontinenz beiträgt. Die Urethra ist beim Mann etwa 18 bis 25 cm lang und besteht aus der prostatischen Harnröhre, der membranösen Harnröhre im Bereich der quergestreiften Beckenbodenmuskulatur, der bulbären Harnröhre als weite Harnröhre im Bereich des Dammes (Perineums) sowie der Pars pendulans als Harnröhre im Bereich des Penis. Der proximale Teil der Harnröhre besteht noch aus Übergangsepithel, der kürzere, distale Anteil bis zur Harnröhrenmündung wird von Plattenepithel gebildet. Bei der Frau arbeitet praktisch die gesamte 3 bis 5 cm lange Harnröhre vom Blasenhals bis zur Harnröhrenöffnung (Meatus urethrae externus) als Sphinktermechanismus. Der Meatus liegt bei der Frau ca. 2 cm dorsal der Klitoris am vorderen Rand des Introitus vaginae zwischen den kleinen Schamlippen.

Wolfgang Webelhuth

3. Neue Namen – Alte Formen

Nomenklatur und Diagnostik der Harninkontinenz

Alles Neue ist zunächst fremd und daher ungewohnt! Bezieht man diese Lebensweisheit auf die Nomenklatur der Harninkontinenzformen jüngeren Datums, so liegt man zweifellos richtig. Sprachlich etwas holprig kommen hier neue Begriffsbestimmungen daher. Doch das darf nicht abschrecken: Klarer wird hier der Zusammenhang zwischen Ursache und Wirkung, d. h. der Grunderkrankung und dem Symptom Harninkontinenz, beschrieben. Weniger als das Vermitteln von Begrifflichkeiten kommt es den Autoren dieses Buches vor allem darauf an, die Formen der Harninkontinenz verständlich und mit möglichst viel Bezug zur Pflegepraxis darzustellen. Wir beziehen uns in diesem Buch auf die Nomenklatur der *International Continence Society (ICS)*, die sich weitgehend im Expertenstandard Kontinenzförderung wiederfindet. Danach können die folgenden Formen der Harninkontinenz definiert werden:

- **Belastungsinkontinenz**
  Unfreiwilliger Urinverlust bei körperlicher Belastung
- **Dranginkontinenz**
  Unfreiwilliger Urinverlust mit schwer unterdrückbarem Harndrang
- **Mischinkontinenz**
  Unfreiwilliger Urinverlust aufgrund beider zuvor genannten Faktoren
- **Chronische Harnretention**
  Unvollständige Blasenentleerung (Restharnbildung) mit und ohne unfreiwilligen Harnverlust (Überlaufsymptomatik)

- **Reflexinkontinenz**
  Unfreiwilliger Urinverlust bei anormalem spinalen Reflex aufgrund fehlender Hemmung des Miktionsreflexes
- **Extraurethrale Inkontinenz**
  Ständiger Urinverlust über andere Kanäle als die Harnröhre (Fisteln)
- **Unkategorisierbare Inkontinenz**
  Beobachtbarer unfreiwilliger Urinverlust, der auf der Basis von Symptomen oder Befunden nicht eindeutig zuzuordnen ist
- **Einnässen bei Kindern (Enuresis)**

Nachfolgend sollen diese eher abstrakten Definitionen etwas mehr mit Leben gefüllt werden, so dass nachvollziehbarer wird, mit welchen Problemen die jeweils Betroffenen konfrontiert sind.

Belastungsinkontinenz

Eine Belastungsinkontinenz liegt vor, wenn sich eine Drucksteigerung im Abdomen auf den Hohlkörper Blase überträgt und dabei der Verschlussdruck der Harnröhre überwunden wird, so dass Urin ungewollt austritt.

Drei Schweregrade müssen unterschieden werden.

- I. Grades: Harnverlust beim Pressen, Husten oder Niesen
- II. Grades: Bei Veränderung der Körperlage – vom Liegen zum Sitzen oder Sitzen zum Stehen und beim Gehen
- III. Grades: Harnverlust bereits im Liegen

Als Ursachen für das Auftreten einer Belastungsinkontinenz finden sich geschlechtsspezifische Unterschiede. Bei der Frau kommen im Wesentlichen zwei Störungen in Betracht, die verhindern, dass der Schließmuskelapparat, der ja Teil des Beckenbodens ist, diese plötzlichen Drucksteigerungen in der Blase nicht auffangen kann. So führen zum einen vaginale Geburten, bei denen es zu einer (Über-)Dehnung und anschließender Vernarbung gekommen ist, zu einer Einschränkung der Elastizität des Beckenbodens. Unter körperlicher Belastung baut sich über diesen vorgeschädigten muskulären Bereich daher kein ausreichender Verschlussdruck in der kurzen weiblichen Harnröhre auf. Die so genannte funktionelle Harnröhrenlänge, d. h. die Strecke in der Harnröhre, über die der Harnröhrenverschlussdruck erreicht wird, ist verkürzt.
Als zweite Ursache sind Lageveränderungen der Blase zur funktionellen Harnröhre von Bedeutung. Dies kann als Folge einer Entfernung oder Sen-

kung der Gebärmutter und eines Hormonmangels in der Postmenopause auftreten. Erhebliches Übergewicht erhöht zudem die Belastung des Beckenbodens und verstärkt unter Umständen die Symptomatik.
Beim Mann tritt Belastungsinkontinenz vor allem nach operativen Eingriffen wie der transurethralen Prostataresektion (selten) und nach der radikalen Prostatektomie (häufig) auf. Dies kommt zum einen daher, dass bei der Rekonstruktion des Übergangs zwischen Blase und Harnröhre nach Entfernung der Prostata die Anatomie stark verändert wird. Die Nahtverbindungen zwischen Harnröhre und Prostata verziehen den Beckenboden und den externen Schließmuskel, so dass ein starker Verschlussdruck nicht mehr ausgeübt werden kann. Außerdem geht durch die Radikaloperation des Prostatakrebses der interne Blasenschließmuskel (sog. Sphincter internus) verloren. Dies bedeutet, dass die Kontinenz des Patienten – wenn überhaupt noch – durch den mehr oder weniger intakten Sphincter externus gewährleistet ist. Schließlich werden bei der nicht Nerven erhaltenden radikalen Prostatektomie nicht nur die für die Erektion verantwortlichen parasympathischen Afferenzen verletzt, sondern auch insbesondere sympathische Nervenfasern im Bereich des sog. *Walsh'schen Nervenbündels* zerstört, und somit leidet die koordinierte Blasenverschlussfunktion des Beckenbodens. Meistens bessert sich die Harninkontinenz nach radikaler Prostatektomie in den ersten Monaten nach Entfernung des Katheters, was durch Reinnervationsvorgänge und die Regenerationsfähigkeit des muskulären Beckenbodens zu erklären ist.

Dranginkontinenz
Bei der Dranginkontinenz führen unwillkürliche, nicht beherrschbare Kontraktionen der Harnblase zum ungewollten Harnverlust. Eine Störung des Schließmuskels liegt in der Regel nicht vor.

Ein im Bereich der Blase ausgelöster Entleerungsreiz wird vom Betroffenen so stark wahrgenommen, dass willentliche Hemmung nicht mehr möglich ist. Es kommt zum ungewollten Harnabgang. Mögliche Ursachen sind Blasensteine, Tumoren der Blase, bakterielle Entzündungen der Blase oder eine interstitielle Zystitis.
Daneben können aber auch zentralnervöse Erkrankungen dazu führen, dass ein Miktionsdrang bei eigentlich relativ geringer Füllung der Blase nicht gehemmt wird. Morbus Parkinson, Multiple Sklerose, Alzheimer und andere hirndegenerative Prozesse sowie Medikamente mit zentral dämpfender Wirkung sind Beispiele.

Chronische Harnretention

Von der chronischen Harnretention sind fast ausschließlich Männer betroffen. Infolge erworbener Schwäche des Blasenmuskels oder erworbener Abflussbehinderung bleibt die aktive Blasenentleerung unvollständig. Schließlich führen riesige Restharnmengen zur Überdehnung der Blasenmuskulatur und tröpfchenweisem Harnverlust gegen den Schließmuskeldruck.

Die gutartige Vergrößerung der Prostata (benignes Prostatasyndrom) und das Prostatakarzinom sind die häufigsten Erkrankungen, die zu einer Verlegung der prostatischen Harnröhre und in deren Folge zu einer Überlaufblase führen können. Abgesehen davon führen nicht selten Verletzungen und Entzündungen der Harnröhre zu Strikturen oder Engen und können damit den Harnabfluss behindern.
Aber auch bei der Frau können solche Harnretentionen auftreten. Hier sollte man an neurologische Erkrankungen wie Multiple Sklerose denken.

Reflexinkontinenz

Bei der Reflexinkontinenz kommt es zum Harnverlust ohne wahrnehmbaren Harndrang aufgrund abnormer Reflexaktivität durch Wegfall der zentralen Hemmung.

Die Blase und der Schließmuskel sind intakt – die Störung beruht auf einer Unterbrechung der Nervenverbindung vom sakralen Miktionszentrum (S2–S4) zum Gehirn. Daher fehlt dem Betroffenen die Empfindung über den Füllungsgrad der Blase, er kann die Harnausscheidung nicht willentlich beeinflussen. Die Ausscheidung erfolgt nun reflektorisch über den Reflexbogen zum sakralen Miktionszentrum. Völlig unkoordinierte Urinabgänge sind die Folge. Als Erkrankung kommt hier in erster Linie eine Querschnittsymptomatik durch Trauma oder Tumor in Betracht.

Extraurethrale Inkontinenz

Bei der extraurethralen Inkontinenz handelt es sich um Harnverlust unter Umgehung der Harnröhre bei Fistelung oder angeborener Fehlbildung.

Als angeborene Fehlbildungen findet sich z. B. beim Mädchen die Mündung des Harnleiters in die Vagina, anstatt in die Harnblase, so dass es zum ständigen Urinabgang über die Scheide kommt. Eine Vorgeschichte von normaler Miktion und ständiger Inkontinenz ist hier typisch. Bei Jungen kann der Harnleiter, an Harnblase und Schließmuskel vorbeiziehend, direkt in

die Harnröhre münden. Es besteht ein ständiges Harnträufeln über die Urethra. Eine schwere angeborene Störung bildet die Blasenextrophie, bei der ein unvollständiger Verschluss der Bauchwand vorliegt. Die offene Blase mitsamt den einmündenden Harnleitern ist im Unterbauch mit der umgebenden Haut verwachsen. Bei Jungen ist zudem eine komplette Epispadie vorhanden. Der Urin tropft somit unmittelbar aus den Ostien an die Körperoberfläche.
Die Entstehung von Fisteln zwischen den Harnleitern, der Blase oder der Harnröhre einerseits und dem Darm, der Scheide oder der äußeren Haut andererseits kann vielfache Ursachen haben. Wundheilungsstörungen nach Operationen am Harn ableitenden System, Gewebenekrosen nach Bestrahlung im kleinen Becken, sowie infiltrierendes Tumorwachstum stehen hier allerdings im Vordergrund.

Einnässen bei Kindern (Enuresis)

Bei der Enuresis müssen die (primäre) Enuresis nocturna (heute als monosymptomatische Enuresis bezeichnet) und die Enuresis nocturna et diurna (heute als kindliche Harninkontinenz bezeichnet) unterschieden werden.

Enuresis (monosymptomatische Enuresis, Enuresis nocturna)

Bis zum Eintritt in das Schulalter sollte das Kind eine vollständige Harnkontinenz erlangt haben. Allerdings nässen mit dem 6. Lebensjahr noch 15% der Kinder nachts regelmäßig ein. Diesem nächtlichen Einnässen liegt in der Regel eine noch nicht erreichte Ausreifung der Miktionskontrolle zu Grunde. Mit dem 15. Lebensjahr liegt diese Störung nur noch bei ca. 1% der Jugendlichen und damit auch der Erwachsenen vor.
Die Diagnostik bei primärer Enuresis nocturna beschränkt sich im Wesentlichen auf eine ausführliche Anamneseerhebung, um Formen der kindlichen Harninkontinenz oder andere Grunderkrankungen auszuschließen. Erst wenn der Verdacht auf das Vorliegen einer kindlichen Harninkontinenz besteht, sind weiterführende, auch invasive diagnostische Maßnahmen, angezeigt.
Ein wesentlicher Faktor in der Betreuung dieser Kinder und Eltern besteht in der Beruhigung der Familie unter Hinweis auf die große Wahrscheinlichkeit einer spontanen Reifung der Miktionskontrolle. Unterstützend können Systeme wie Klingelhosen und Klingelmatratzen eingesetzt werden. Diese führen bei nächtlichem Einnässen zu einem akustischen Signal. Das Kind muss dann geweckt und zur Toilette gebracht werden. Es handelt sich hier um eine Konditionierungstherapie, bei der ein Reflex »volle Blase« = Auf-

wachen und »Miktion« gebahnt werden soll. Diese Konditionierungstherapie hat bei der primären Enuresis nocturna eine hohe Erfolgsaussicht. Darüber hinaus kann das Antidiuretische Hormon (ADH) zum Einsatz kommen, das heute als Nasenspray, aber auch in Tablettenform erhältlich ist (z. B. Minirin®). Dieser Therapieansatz basiert auf der Hypothese, dass bei Enuresis nocturna die physiologischerweise erhöhte nächtliche ADH-Ausschüttung nicht stattfindet und damit nachts zuviel Urin produziert wird. ADH reduziert die nächtliche Urinproduktion, so dass nachts die Blasenkapazität nicht erreicht und damit keine Miktion nötig wird. Die ADH-Gabe hat sich vor allem in Akutsituationen wie z. B. auf Schulreisen oder in Zeltlagern bewährt, wenn ein nächtliches Einnässen unbedingt vermieden werden sollte. Nach Absetzen der Medikation kommt es aber bei über 50% der Kinder zu einem Rückfall.

Enuresis nocturna et diurna (kindliche Harninkontinenz)

Im Gegensatz zur einfachen Enuresis nocturna liegt bei der kindlichen Harninkontinenz ein komplexes Krankheitsbild unterschiedlicher Genese vor. Es kann sich als primäres Krankheitsbild manifestieren, d. h. das Kind nässt seit der Geburt regelmäßig tags oder nachts ein (primäre Enuresis nocturna et diurna). Es kann aber auch neu entstehen, nachdem das Kind über einen längeren Zeitraum bereits trocken gewesen ist (sekundäre Enuresis nocturna et diurna). Nach Ausschluss organischer Ursachen wie extraurethrale Inkontinenzformen z. B. als Folge eines ektop in die Scheide mündenden Ureters, kommen neurologische Erkrankungen (Detrusorhyperreflexie), Reifungsstörungen der Miktionskontrolle (Detrusorüberaktivität), Miktionsfehlverhalten (»Überspielen« des Harndranges mit Haltemanövern) oder psychosomatische Funktionsstörungen (Einnässen bei Eintritt in Kindergarten oder Schule, familiäre Stresssituationen wie Partnerwechsel eines Elternteiles) in Frage.

Eine sorgfältige Anamnese muss Hinweise auf mögliche organische Ursachen (z. B. Einnässen im Rahmen von Harnwegsinfekten), auf das Miktionsverhalten (wie häufig, welche Urinportionen) und auf psychologische Einflussfaktoren liefern. Hilfreich ist das Führen eines Miktionsprotokolls, in dem Miktionshäufigkeit, Miktionsmenge und Häufigkeit des Einnässens festgehalten werden. In Abhängigkeit von vermuteten Ursachen schließen sich an die Anamnese urodynamische Untersuchungen wie Harnflussmessungen und sonographische Restharnbestimmungen an. Invasive Maßnahmen wie Blasendruckmessung, Blasenspiegelung oder Röntgenaufnahmen der Harnblase (Miktionszysturethrogramm) stehen am Ende der Diagnostik.

Die Therapie muss sich nach den möglichen Ursachen der kindlichen Harninkontinenz richten. Liegt ein Miktionsfehlverhalten vor (»Überspielen« des Harndrangs, Haltemanöver, Gegenspannen des Beckenbodens bei Miktion = Sphinkter-Detrusor-Dyskoordination), so können durch ein Miktionstraining ggf. unter Biofeedback-Kontrolle der Beckenbodenspannung über Oberflächenelektroden gute Erfolge erzielt werden. Bei Detrusorüberaktivität hat sich die Gabe von Anticholinergika (z. B. Oxybutinin) bewährt. Bei Vorliegen psychologischer Stresssituationen ist die Einleitung einer kinderpsychologisch/kinderpsychiatrischen Therapie notwendig. Häufig ist zum Erreichen des therapeutischen Erfolges ein multifaktorieller Behandlungsansatz notwendig.

Von der Theorie in die Praxis

Die nachfolgend aufgeführten Definitionen bilden den notwendigen Brükkenschlag von der rein medizinisch orientierten Definition zum geplanten, praxisorientierten Pflegekonzept eines von Harninkontinenz betroffenen Menschen. Sie basieren auf den sog. »Kontinenzprofilen«, die in der Expertengruppe für den Expertenstandard »Förderung der Harnkontinenz« entwickelt wurden:

(Vollständige) Harnkontinenz
Ein Mensch besitzt die Fähigkeit, willkürlich und zur passenden Zeit an einem geeigneten Ort die Blase zu entleeren.

Unabhängig erreichte Harnkontinenz
Ein Mensch besitzt die Fähigkeit, willkürlich und zur passenden Zeit an einem geeigneten Ort infolge eines Verhaltenstrainings, durch Medikamente unterstützt, durch Nutzung mobiler Toilettenhilfen und/oder durch intermittierenden Selbstkatheterismus (ISK) die Blase zu entleeren.

Abhängig erreichte Harnkontinenz
Ein Mensch besitzt die Fähigkeit, willkürlich und zur passenden Zeit an geeignetem Ort infolge eines Verhaltenstrainings, durch Medikamente unterstützt, durch Nutzung mobiler Toilettenhilfen und/oder intermittierenden Katheterismus (IK) sowie mit personeller Hilfe die Blase zu entleeren.

Unabhängig kompensierte Harninkontinenz
Ein Mensch besitzt die Fähigkeit, mit Hilfe eines geeigneten Hilfsmittels den unwillkürlichen Harnverlust zu kompensieren.

Abhängig kompensierte Harninkontinenz
Der unwillkürliche Harnverlust wird unter Einsatz von Hilfsmitteln und mit personeller Unterstützung kompensiert.

Nicht kompensierte Harninkontinenz
Ein Mensch hat unwillkürlichen Harnverlust. Personelle Unterstützung und therapeutische Maßnahmen werden nicht in Anspruch genommen (z. B. aus Scham).

Medizinische Diagnostik der Harninkontinenz
Grundlage jeder Inkontinenzdiagnostik ist die medizinische Anamnese, die Angaben über das Miktions- bzw. das Inkontinenzerleben erhebt. Diese Informationen weisen den Weg zu allen weiteren diagnostischen Schritten.

Laboruntersuchungen
Allgemeines Labor mit Entzündungsparametern.

Urinstatus
Der Urinstatus umfasst folgende Parameter: pH-Wert, Nitrit, Eiweiß, Glukose, Leukozyten und Erythrozyten.
Für die Untersuchung mit Teststreifen und die Gewinnung des Sedimentes ist frischer Morgenurin am günstigsten. Da sich einige Parameter durch eine längere Liegezeit der Probe verändern können, ist eine unverzügliche Bearbeitung wichtig. Letzteres gilt z. B. für den pH-Wert, der sich unter Bakterienwachstum in den alkalischen Bereich verschieben kann. Bei orientierenden Untersuchungen bieten sich daher Testsreifen an, die z. B. Hinweise auf einen bestehenden Diabetes mellitus, entzündliche Erkrankungen des Harntraktes, einen Harnwegsinfekt sowie eine Mikrohämaturie liefern.

Urinkultur
Die Urinkultur wird bei der Frau aus Katheterurin gewonnen, beim Mann aus Mittelstrahlurin, sofern eine Spontanmiktion möglich ist. Andernfalls ist auch hier steriler Einmalkatheterismus angezeigt. Das Ergebnis dieser Untersuchung beurteilt das Keimspektrum in zweifacher Hinsicht. Einerseits in Form einer quantitativen Aussage, indem die Keimzahl pro ml Urin ermittelt wird. Bei einer Keimzahl $< 10^3$ pro ml gilt die Probe als steril. Andererseits werden signifikante Keime nachgewiesen und hinsichtlich ihrer Empfindlichkeit bzw. Resistenz in einem Antibiogramm dargestellt. Das Antibiogramm bildet die Grundlage einer gezielten antibiotischen Therapie.

Mohnprobe zur Ermittlung von Fisteln

Die so genannte Mohnprobe zählt zu den klassischen urologischen Untersuchungsmethoden. Sie wird durchgeführt, wenn der Verdacht auf eine Fistel zwischen Darm und harnableitenden Hohlsystem besteht, z. B. einer Rektum-Blasen-Fistel. Da sich kleine Fistelgänge endoskopisch und Bild gebend häufig nicht nachweisen lassen, kann diese einfache Methode unter Umständen zum Erfolg führen. Der Betroffene nimmt an drei aufeinander folgenden Tagen jeweils einen Esslöffel ungemahlenen Mohn zu sich. Die Mohnkörner passieren den Magen-Darm-Trakt nahezu unverdaut und treten selbst durch kleinste Öffnungen, so auch durch Fistelgänge. Die Miktion muss jetzt durch ein Sieb erfolgen, um Mohnkörner nachzuweisen.

Endoskopische Diagnostik

Urethrozystoskopie und vaginale Einstellung

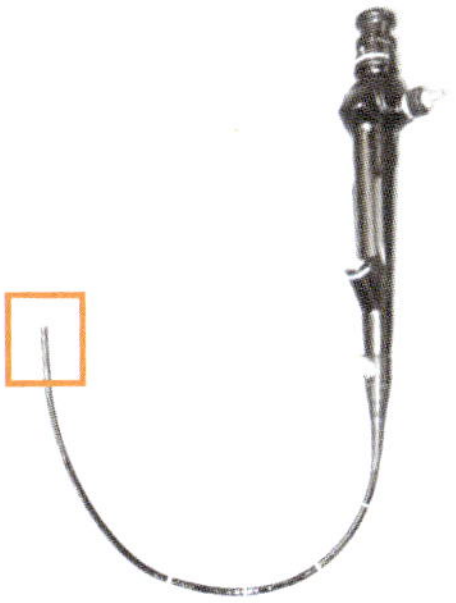

Flexibles Zystoskop neuester Generation

Die Urethrozystoskopie bezeichnet die endoskopische Inspektion der Harnröhre und der Blase. Es stehen hierfür starre und flexible Instrumente zur Verfügung. Beim Mann wird das Endoskop unter Sicht durch die Harnröhre in die Blase eingeführt. Bei der Frau erfolgt die Passage der Urethra normalerweise blind. Über den liegenden Endoskopschaft können Zystoskope mit verschiedenen Winkel-Optiken eingesetzt werden, so dass eine vollständige Beurteilung der inneren Blasenwandung möglich ist. Die Untersuchung ist im wachen Zustand tolerierbar. Nur in Ausnahmefällen und z. B. bei Kindern ist eine Narkose notwendig. Die wichtigsten Anwendungsbereiche der Untersuchung bestehen im Nachweis der Blutungsquelle bei Hämaturie ungeklärter Genese. Weiterhin werden im Rahmen der Tumornachsorge bei Blasentumoren regelmäßige Zystoskopien durchgeführt. Die Abklärung rezidivierender Harnwegsinfekte oder der interstitiellen Zystitits erfordert ebenfalls eine Endoskopie der Blase.

Mit Hilfe der Zystoskopie sind unter Nutzung von speziellen Arbeitsoptiken, Kathetern und Instrumenten auch weitergehende diagnostische und therapeutische Manipulationen möglich. Vor allem die Entfernung von Fremdkörpern, die Entnahme von Gewebeproben und das retrograde Einbringen von Kontrastmittel in den Harnleiter ist hier von Bedeutung.

Bei der vaginalen Einstellung wird der Meatus urethrae eingestellt und auf Verletzungen untersucht. Weiterhin wird ausgeschlossen, dass eine größere Zystozele, also eine Ausstülpung der hinteren Blasenwand nach vaginal vorliegt. Diese sollte operativ behoben werden, wodurch es häufig zu einer Besserung der Inkontinenz kommt. Gleichzeitig wird das Vorliegen einer Rektozele durch eine rektale Untersuchung ausgeschlossen.

Bildgebende Verfahren

Sonographie

Der Sonographie kommt eine wichtige Rolle im Rahmen der urologischen Diagnostik und der Beurteilung therapeutischer Maßnahmen zu. Die urologische Erstuntersuchung umfasst routinemäßig die Sonographie der Nieren und Nebennieren, des Retroperitoneums und der Blase. Hinsichtlich der Nieren ergibt sich ein breites diagnostisches Spektrum. Es umfasst die Darstellung der Lage und der Entwicklung des Organs, die Beurteilung des Parenchymsaums, die Dokumentation zystischer und primär tumorverdächtiger solider Raumforderungen, den Nachweis einer ektatischen Aufweitung des Nierenhohlsystems und die Steindiagnostik.

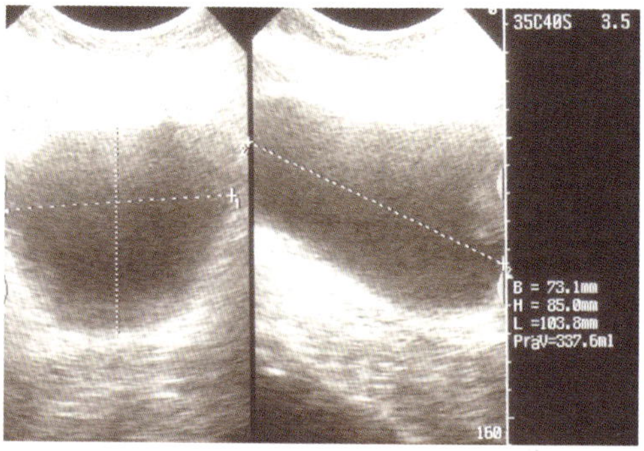

Im Rahmen der Ultraschalluntersuchung der Blase stehen pathologische Veränderungen der Wandstruktur, z. B. Verdickungen oder Divertikel, in das Lumen wachsende Tumoren, Steine und der Nachweis einer Restharnbildung (s. Bild rechts) im Vordergrund. Außerdem ist die Lagekontrolle von Kathetern und Schienen (s. Bild unten) innerhalb des Hohlsystems möglich.

Ausscheidungsurogramm (AUG)

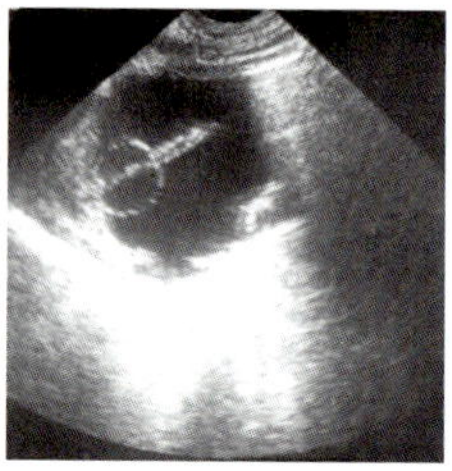

Das Ausscheidungsurogramm ist ein ganz wesentliches bildgebendes Verfahren, das bei einer Vielzahl von Fragestellungen zur Anwendung kommt. Nach intravenöser Verabreichung eines jodhaltigen Kontrastmittels (KM) wird dieses innerhalb kurzer Zeit renal ausgeschieden. Dabei werden Röntgen-Kontrastaufnahmen des harnableitenden Hohlsystems angefertigt, und zwar jeweils 7 und 15 min nach Applikation. Die erste Aufnahme stellt die Parenchymphase des Organs dar, die zeigt, ob beide Nieren funktionieren. Beurteilt werden die Nierenkelche, das Nierenbecken und der obere Anteil des Harnleiters. Die zweite Aufnahme zeigt die Abflussverhältnisse im unteren Harnleitersegment, den Übertritt des Kontrastmittels in die Blase und deren Konfiguration nach Füllung. Bei verzögertem Übertritt des Kontrastmittels in den Harn kann bis zu mehrere Stunden später eine sog. Spätaufnahme angefertigt werden. Liegt das Serumkreatinin weit oberhalb seines Normalwerts (> 1,8 mg/dl), ist eine Kontrastmittel-Aufnahme nicht sinnvoll, weil die Konzentrationsleistung der Niere keine ausreichende Kontrastmittelausscheidung ins Nierenbeckenkelchsystem zulässt und sich deshalb, wenn überhaupt, allenfalls eine flaue Darstellung ergibt. Zusätzlich verschlechtert sich durch Kontrastmittel die Nierenfunktion und der

Patient kann in ein Nierenversagen rutschen. Ebenfalls zu Beeinträchtigungen der Bildqualität führen Überlagerungen durch Darmgase. Es ist daher sinnvoll, wenn der Untersuchung eine etwa sechsstündige Nahrungskarenz vorangegangen ist. Anamnestisch ist eine bekannte Unverträglichkeit auf jodhaltige Kontrastmittel bedeutsam, da sich in diesem Fall die Durchführung des Ausscheidungsurogramms verbietet. Eine weitere Kontraindikation für eine KM-Gabe besteht in der akuten Nierenkolik, da das KM durch seinen diuretischen Effekt zu einer zusätzlichen Druckerhöhung des Hohlsystems führt und so eine Perforation (Fornixruptur) provozieren kann.
Angeborene Fehlbildungen, Raumforderungen im Hohlsystem, Abflussbehinderungen durch Stenosen, Steine oder Tumoren sowie Verdrängungen von Organstrukturen werden durch das Ausscheidungsurogramm nachgewiesen.
Im Rahmen der Steindiagnostik wird ein AUG zum Nachweis gering- oder nicht Schatten gebender Steine benötigt. Dabei handelt es sich oft um Harnsäuresteine, Zystinsteine und Infektsteine. Als indirekter Beweis stellt sich die Umfließung des Steins als KM-Aussparung dar, bei vollständiger Versperrung eines Harnleiters ergibt sich ein Kontrastmittelstopp.
Umfließungsdefekte im Nierenhohlsystem begründen Tumorverdacht. Ebenso kann ein Kontrastmittelstopp im Harnleiter auf einen Tumor hinweisen, der das Lumen des Ureters ausfüllt. Kompression des Harnleiters von außen, etwa durch Narben, ggf. aber auch Tumoren des Ovars, des Darms oder von Lymphknoten, wirken sich als Abflussbehinderung aus. Bei großen Ovarialkarzinomen wird der Harnleiter gelegentlich uncharakteristisch nach lateral verdrängt.

Zystogramm und Miktionszystourethrogramm

Das Zystogramm bezeichnet die Röntgendarstellung der Blase, nachdem diese mit Kontrastmittel aufgefüllt wurde. Die Applikation erfolgt über einen zu diesem Zweck eingelegten transurethralen Katheter, der anschließend wieder entfernt wird. Das Zystogramm ist zur Beurteilung der Wandstrukturen der Blase geeignet. Eine Reihe von Erkrankungen führen zu typischen Veränderungen des Blasenmuskels. So können Divertikel der Blasenwand erkannt und deren Größe bestimmt werden. Eine weitere Indikation besteht im Nachweis von Blasensteinen.
Ein Miktionszystourethrogramm wird angefertigt, weil der Verdacht auf Harnreflux in den oberen Harntrakt unter der Miktion besteht. Nachdem die Blase mit KM aufgefüllt ist, erfolgt die Röntgendarstellung als Funktionsaufnahme während der Blasenentleerung. Stellt sich dabei der Harn-

leiter dar, ist eine Störung des Ventilmechanismus der Harnleitermündung bewiesen. Der Reflux kann bis in die Nieren reichen.
Ein sog. Zystogramm auf Dichte stellt die postoperative Kontrolle der Anastomose oder Nähte nach offenen Eingriffen an der Blase, nach radikaler Entfernung der Prostata sowie der Anlage einer Neoblase aus Darm dar.

Funktionstests

Im Rahmen der urologischen Diagnostik werden zahlreiche Funktionstests und Messungen durchgeführt. Bedeutsam sind die Harnflussmessung, Messungen der Druckverhältnisse innerhalb des Hohlsystems, die Ableitung von Muskelströmen zur Beurteilung der Detrusor-Sphinkter-Koordination, sowie die Darstellung der Flussverhältnisse in organversorgenden Blutgefäßen.

Bonney-Test

Der Bonney-Test dient zur Abschätzung der Relevanz einer Senkung der Blase für die Kontinenz einer Patientin. Praktisch führt man diesen Test durch, indem man die Blase der Patientin zunächst mit physiologischer Kochsalzlösung auffüllt. Dann lässt man die Patientin aufstehen und auf ein Tuch treten. Beim Husten sollte sie beim Vorliegen einer relevanten Belastungsinkontinenz Urin verlieren. Eleviert man nun den Beckenboden durch Hochschieben des Blasenbodens von vaginal, wobei man die Urethra nicht abquetschen darf, so sollte beim Vorliegen einer relevanten Blasensenkung die Inkontinenz anschließend behoben sein.

Pad-Weight-Test

Beim Pad-Weight-Test quantifiziert man den Urinverlust unter Alltagsbedingungen. Man bittet die Patientin, die Anzahl der benutzten Vorlagen sowie deren Füllungszustand durch Wiegen bei der normalen Tätigkeit zu protokollieren. Dieser Test ist für die Indikationsstellung zu einer Inkontinenzoperation essentiell.

Uroflowmetrie

Unter einer Uroflowmetrie versteht man die Harnflussmessung. Die Blase muss hinreichend gefüllt sein, so dass der Betroffene Miktionsdrang verspürt. Es folgt die Entleerung der Blase, wobei der Harn durch eine Messapparatur geleitet wird, die dabei wesentliche Daten erfasst und in einem Diagramm darstellt. Für eine Reihe von Entleerungs-

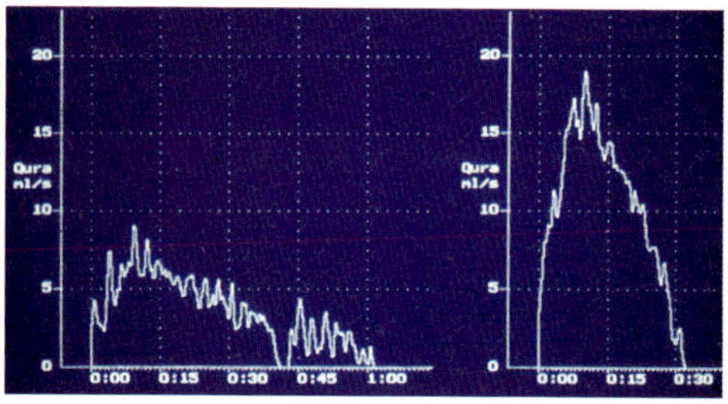

Geringer Harnfluss vor (li.) sowie deutlich erhöhte Flussrate nach (re.) transurethraler Prostataresektion

störungen ergeben sich charakteristische Kurven. Die wichtigsten Parameter sind die maximale Flussrate pro Zeiteinheit, bestimmt in ml/sec, die Zeitdauer der Miktion einschließlich eventueller Startverzögerungen in sec und die Menge (Volumen) in ml. Messungen mit einem Volumen < 200 ml sind nicht aussagekräftig.

Zystomanometrie (CMM)

Die CMM dient der Darstellung und Beurteilung der Blasenfunktion unter Füll- und Entleerungsbedingungen. Die Messung kann im Sitzen oder Liegen durchgeführt werden. Hierfür wird transurethral oder suprapubisch (bei Kindern in Kurznarkose) ein Druckmesskatheter in die Blase eingelegt. Weiterhin wird ein Katheter in die Ampulla recti eingelegt, über den der Druck in der Abdominalhöhle gemessen wird. Zusätzlich werden Elektroden im Bereich des Dammes positioniert, die die Aktivität der Beckenbodenmuskulatur registrieren.

Mit Beginn der Untersuchung wird die zuvor komplett entleerte Blase mit physiologischer Kochsalzlösung in einer definierten Füllgeschwindigkeit aufgefüllt. Die Beurteilung der Füllphase bezieht sich auf die Sensibilität der Blase (Auftreten des 1. Harndrangs) autonome Detrusorkontraktionen, unfreiwilligen Urinabgang und letztlich die Gesamtkapazität der Blase. Daraufhin wird der Patient aufgefordert zu miktionieren. Hier steht die Beurteilung einer suffizienten Detrusorfunktion und der in der Blase auftretenden Drücke im Vordergrund. Gleichzeitig kann über das Beckenboden-EMG die Koordination zwischen Detrusor und Sphinktermuskulatur beurteilt werden. Zusätzlich zeigt eine Erhöhung des intraabdominellen Druckes an, ob die Blase mit Hilfe der Bauchpresse entleert wird.

Urethra-Druck-Profil (UDP) und Leak-Point-Pressure Messung

Im Rahmen der Abklärung einer Belastungsinkontinenz ist die Beurteilung der Verschlussdrücke der Blase erforderlich. Hierfür stehen prinzipiell zwei gleichwertige Techniken zur Verfügung. Das UDP misst direkt den Druck innerhalb verschiedener Anteile der Harnröhre im Verhältnis zum Druck in der Blase. Die Messung wird in Ruhe und unter Stressbedingungen (Husten) durchgeführt und erlaubt die Beurteilung des Verschlussdruckes unter diesen Bedingungen. Bei der Messung des Leak-Point-Pressure wird der Druck innerhalb der Blase zum Zeitpunkt des ersten unfreiwilligen Urinabgangs dokumentiert. Der Patient steht während der Untersuchung. Über den Messkatheter wird die Blase gefüllt und gleichzeitig der Druck in der Blase gemessen.

Video-Urodynamik

Die Video-Urodynamik stellt ein sehr komplexes Untersuchungsverfahren zur Klassifizierung der Inkontinenzform/Blasenfunktionsstörung dar. Mit dieser Untersuchungsmethode werden die Druckverhältnisse im Detrusor erfasst. Gleichzeitig besteht die Möglichkeit der Durchführung einer Miktionszystourographie, Uroflowmetrie, Leak – Point – Pressure Messung und die Ableitung eines Beckenboden – EMG.

Wolfgang Webelhuth, PD Dr. Markus Heuser

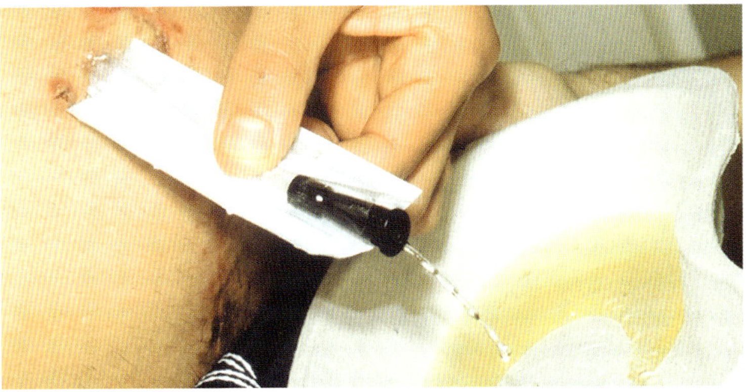

4. Optionen und Grenzen

Operative Möglichkeiten bei Harninkontinenz

Bei allen Formen der Harninkontinenz besteht grundsätzlich die Möglichkeit, die Lebenssituation des Betroffenen durch einen operativen Eingriff zu verbessern. Es gilt also abzuwägen, ob der Grad des Leidensdrucks, den der ungewollte Harnverlust verursacht, den Schritt zur Operation rechtfertigt. Unter Umständen sind stundenlange abdominelle Eingriffe notwendig. Wie immer in der Medizin gibt's zudem keine Erfolgsgarantie, und im Nachhinein als Misserfolg Erlebtes ist in den seltensten Fällen umkehrbar.
Damit für den Betroffenen und die Menschen in seinem persönlichen Umfeld – von ihnen wird später eventuell Hilfe und Unterstützung erhofft, erbeten, erwartet, verlangt – eine vernünftige Meinungsbildung möglich ist, müssen zunächst geeignete Informationen in diese Richtung fließen. Die Form des Eingriffs, den stationären Verlauf und die notwendige Nachsorge, sowie mögliche Operationsrisiken beschreibt der Arzt. Für den Pflegebedarf sollten sich Pflegekräfte zuständig fühlen. Hier geht es um die Auswahl des geeigneten Hilfsmittels für den einzelnen Betroffenen, die Anleitung in deren Anwendung und schließlich eine Überleitung in eine ambulante pflegerische Betreuung, falls erforderlich und gewünscht.
Abhängig von der Form der Inkontinenz und deren Ausprägungsgrad können unterschiedliche Operationsverfahren zur Erlangung von Kontinenz bzw. Methoden der Harnableitung in Betracht kommen:

- Gel-Unterspritzung der Harnröhre
- Blasenhalssuspension
- Künstlicher Schließmuskel

Blasenersatz durch ausgeschaltete Darmsegmente
- Katheterisierbarer Pouch
- Neoblase
- Conduit

Gel-Unterspritzung der Harnröhre
Es handelt sich hierbei um einen minimal-invasiven Eingriff zur Wiederherstellung der Harnröhrenfunktion (bei Mann und Frau anwendbar, z. B. nach radikaler Prostatektomie).
Verschiedene Lösungen (Kollagen, Ethylen-Vinyl-Alkohol-Kopolymer etc.) stehen zur Unterspritzung zur Verfügung. Die Mischungen werden unter Sicht an den gewünschten Stellen in der Harnröhre (meist 4 Punkte in der Zircumferenz) submukös injiziert. Je nach Hersteller stehen für die standardisierten Injektionen so genannte Implacer zur Verfügung. Die verwendeten Stoffe sollten gewebefreundlich, volumenkonstant und dauerhaft sein, sie sollten nicht wandern noch resorbiert oder abgebaut werden können und zukünftige chirurgische Behandlungen nicht ausschließen.

Mögliche Komplikationen nach Unterspritzung:
- Fortbestehende Inkontinenz
- Blasenentleerungsstörungen durch Irritation oder Überkorrektur
- Bakterielle Infektion des Fremdmaterials
- Entzündungsreaktionen, Bluterguss
- Allergische Reaktion.

Blasenhalssuspension
Hierbei handelt es sich um Operationen zur Behandlung der Harninkontinenz (= Belastungsinkontinenz bedingt durch eine Hypermobilität der Harnröhre und/oder eine intrinsische Sphinkterinsuffizienz) der Frau durch Hebung des Blasenhalses.
Verschiedene Verfahren zur Korrektur stehend zur Verfügung. Die zurzeit favorisierte Form ist die TVT (tension free vaginal tape) oder TVTO (tension free vaginal tape obturatorsystem). Hierbei wird durch eine, unter die Harnröhre gelegte Polypropylen-Netzschlinge der Blasen/Harnröhrenwinkel korrigiert. Die spezielle Knüpftechnik des Netzes ergibt eine Elastizität, die eine besondere Anpassung an verschiedene Belastungssituationen des Körpers erlaubt.
Bei beiden Verfahren wird von der Scheide aus über einen kleinen Schnitt die Harnröhre präpariert. Dann wird ein Band, das an beiden Enden mit

Nadeln versehen ist, links und rechts neben der Harnröhre entweder (bei TVT) entlang der Symphysenrückwand zur Bauchdecke 2 Querfinger neben der Mittellinie oder (bei TVTO) durch die Fossa obturatoria zur Oberschenkelinnenseite gestochen und oberhalb der Fascie abgeschnitten. Wichtig ist dabei, dass die Harnröhre am Ende spannungsfrei im Band liegt.

Mögliche Komplikationen nach TVT/TVTO:

- Fortbestehende Inkontinenz
- Blasenentleerungsstörungen durch Irritation oder Überkorrektur
- Bakterielle Infektion des Fremdmaterials
- Abstoßungsreaktion
- Verletzung von Blase, Nerven oder Blutgefäßen.

Künstlicher Schließmuskel (artifizieller Sphinkter)

Bei vollständigem Ausfall des Schließmuskelapparates – sei es angeboren, durch Störungen der Nervenversorgung oder als Folge von Beckenoperationen und daraus resultierender Belastungsinkontinenz III. Grades – ist die Implantation eines künstlichen Schließmuskelsystems möglich.

Der artifizielle Sphinkter besteht aus drei Teilen: **c** einer flüssigkeitsgefüllten Manschette (Cuff), die um den Blasenhals oder die Harnröhre gelegt wird. Sie ist über ein Schlauchsystem mit einem **e** Druckreservoir (Druckballon) verbunden, das im kleinen Becken oder intraperitoneal platziert wird. Dieser Druckballon hält die Manschette unter ständigem Druck und verschließt damit den Blasenausgang bzw. die Harnröhre. Über einen Pumpmechanismus **d**, der beim Mann im Skrotum, bei der Frau in der großen Schamlippe liegt, kann der Cuff leer gepumpt und der Blasenausgang damit zur Miktion freigegeben werden. Über ein Verzögerungsventil füllt sich die Manschette nach 3 bis 5 Minuten wieder und verschließt damit erneut den Blasenausgang. In die Pumpe integriert ist ein Knopf zur Deaktivierung des Sphinkters, falls dies z. B. im Rahmen transurethraler Untersuchungen und Behandlungen notwendig ist. Wichtig ist, dass man den Sphinkter nur deaktivieren darf, wenn die Pumpe nicht ganz leer gedrückt worden ist. Denn reaktiviert wird der Sphinkter durch Druck auf die Pumpe. Ist die Pumpe aber komplett leer, kann man den Sphinkter nicht mehr aktivieren.

Artefizieller Sphinkter
a Harnblase
b Harnröhre
c Die Verschlussmanschette (Cuff) umschließt die bulbäre Harnröhre
d Der Pumpmechanismus liegt beim Mann im Skrotum
e Das Flüssigkeitsreservoir befindet sich im Unterbauch

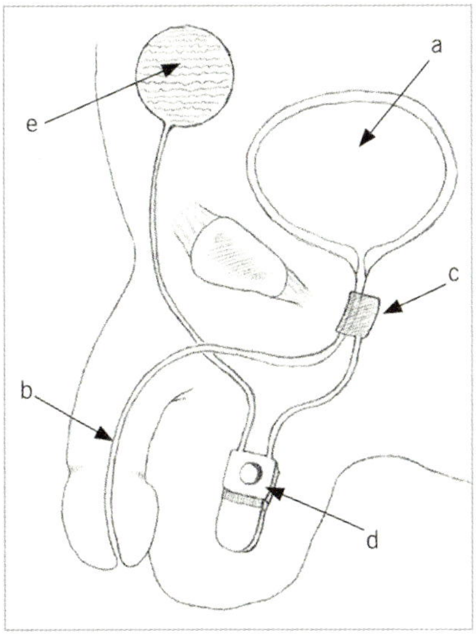

Geradezu als Selbstverständlichkeit muss gelten, dass ein Betroffener vor der Implantation des Sphinkters ein Anschauungsmodell in die eigenen Hände bekommt und dabei die Funktionsweise sowie die Handhabung der Prothese eingehend besprochen wird. Nach dem Eingriff steht die Wundheilung und die Resorption von Wundödemen im Skrotalbereich im Vordergrund, so dass der Pumpmechanismus schließlich gut durch die Skrotalhaut tastbar ist. Dies kann Tage bis wenige Wochen in Anspruch nehmen. Nun beginnt die Anleitungsphase, in der der Betroffene lernt, die Pumpe mit einer Hand so festzuhalten, dass er sie mit der anderen Hand betätigen kann. Leider kommt es bei ca. 50% der mit einem artifiziellen Sphinkter Versorgten innerhalb der ersten 5 Jahre nach der Implantation zu Problemen:

- Harnverlust bei geschlossener Manschette
- Bakterielle Infektion des Implantats
- Materialdefekte
- Dekubitalgeschwür mit Perforation der Harnröhre durch den Cuff.

In all diesen Fällen muss das Problem durch einen erneuten Eingriff beseitigt werden.

Blasenersatz durch ausgeschaltete Darmsegmente

Wenn die Blase ihre Funktion als Harnspeicher nicht (mehr) erfüllen kann, kommt eine Harnableitung über ausgeschaltete Darmsegmente in Betracht. In die Überlegungen, welches Verfahren bei dem Betroffenen zur Anwendung kommen soll, müssen eine Reihe von Faktoren einbezogen werden. So schließen einige Grunderkrankungen bestimmte Formen des Blasenersatzes de facto aus, während sich umgekehrt bestimmte Methoden der Harnableitung als Therapieform anbieten. Ein Beispiel: Liegt als Grunderkrankung eine Spina bifida vor, wird der Betroffene im Rollstuhl sitzen. Die Harnableitung über die Genitalorgane ist somit schwierig. Einfacher erreichbar und damit selbstständig zu versorgen sind Stomaöffnungen im Abdomen. Zur Auswahl stehen insofern die Anlage eines Ileum-Conduits im rechten Unterbauch und die Anlage eines katheterisierbaren Pouches mit Zugang über die Nabelgrube. Hier muss ein weiterer wichtiger Gesichtspunkt beachtet werden: Welche geistigen und körperlichen Fähigkeiten bringt der Betroffene mit, um die Harnableitung künftig möglichst ohne fremde Hilfe durchführen zu können. Der katheterisierbare Pouch könnte wiederum von einem jungen Menschen favorisiert werden, der sich einen »unsichtbaren Harnspeicher« wünscht. Einem älteren Menschen ist das Körperbild vielleicht nicht mehr so wichtig. Ihm ist wichtiger, dass die Urostomieversorgung auch von einer Hilfsperson gewechselt werden kann.

Katheterisierbarer Pouch

Ein aus Darmanteilen konstruierter Pouch bildet den Harnspeicher. In diesen sind die Harnleiter eingepflanzt. Zur Körperoberfläche hin besteht eine Verbindung, die durch einen speziell gestalteten Verschlussmechanismus verhindert, dass Urin spontan abfließen kann. Ein intermittierend eingeführter Einmalkatheter überwindet diesen Verschlussmechanismus und leitet den Urin nach außen ab. Wichtige Vertreter dieser Form des Blasenersatzes sind der MAINZ-Pouch I und der Indiana-Pouch.

Stomalage im rechten Unterbauch beim MAINZ-Pouch I (Zustand nach Blasenekstrophie)

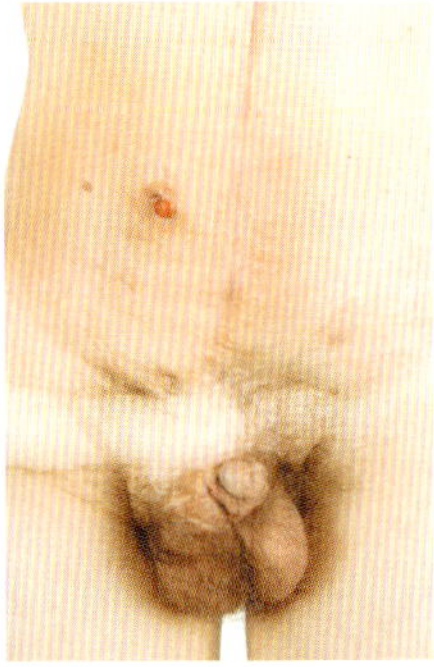

Die Anlage eines katheterisierbaren Pouches gehört zu den operationstechnisch anspruchsvollsten Verfahren der Harnableitung. Mit 3 1/2 bis 4 Wochen Aufenthalt im Krankenhaus muss der Patient rechnen. Nachdem eine Röntgen-Kontrastdarstellung bewiesen hat, dass alle Nähte dicht sind, wird als letzte Drainage der Verweilkatheter entfernt, der seit der Operation den Urin über die Stomaöffnung abgeleitet hat. Ab jetzt übernimmt der Verschlussmechanismus seine Aufgabe, der Pouch füllt sich. Es kommt nun entscheidend darauf an, das neue Reservoir auf ein geeignetes Fassungvolumen zu trainieren. Als Richtwert sind 400 bis 500 ml anzusehen, so dass bei einer Harnausscheidung von etwa 2000 ml / 24 h vier- bis fünfmal katheterisiert werden muss.

Intermittierender Selbstkatheterismus beim MAINZ-Pouch I (Stoma in der Nabelgrube)

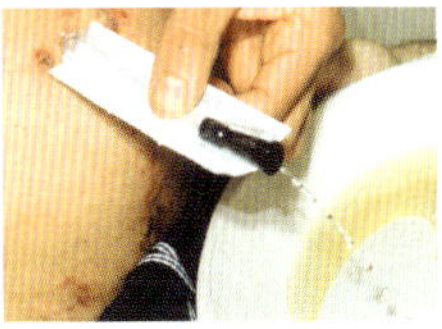

Mögliche Komplikationen nach der Anlage eines katheterisierbaren Pouches:

- Initial zu gering antrainiertes Pouchvolumen
- Harnverlust auf Grund einer Insuffizienz des Verschlussmechanismus
- Bakterielle Infektion des Pouches mit Übergreifen auf den oberen Harntrakt
- Stenotische Einengung der Stomaöffnung
- Schleimtamponade/Steinbildung im Pouch bei zu geringem Flüssigkeitsumsatz
- Stenose der Harnleiter-Darm-Anastomose mit Harnstau in das obere Hohlsystem
- Malresorption, z. B. hyperchlorämische und – noch bedrohlicher – hyperkaliämische Azidose.

Ileum-Neoblase

Auch hier bildet ein aus Darmanteilen konstruierter Pouch einen Ersatzharnspeicher, in den die Harnleiter eingepflanzt sind und der im Gegensatz zu den anderen Formen der Harnableitung direkt an den Harnröhrenstumpf angeschlossen ist.

Es handelt sich hierbei auch prinzipiell um eine kontinente Form der Harnableitung, die aber zunächst ein spezielles Kontinenztraining erfordert.
Der Pouch wird aus einem W-förmig gelegten ca. 60 cm langen aus der Kontinuität herausgenommenen Dünndarmanteil gebildet. Hierzu wird er antimesenterial aufgeschnitten und zum kugelförmigen Reservoir mit zwei seitlichen Darmstutzen (Studerrohr) vernäht. In die als Studerrohr belassenen Enden werden die Harnleiter eingepflanzt.

Am tiefsten Punkt des Pouch wird die Harnröhre angeschlossen. Die Anlage der Ileum-Neoblase gehört zu den anspruchsvollen Verfahren der Harnableitung, die dem natürlichen Vorbild am nächsten kommt.

Mögliche Komplikationen nach Anlage einer Ileum-Neoblase sind:
- Initiale Inkontinenz
- Harnverlust aufgrund einer Insuffizienz des Verschlussmechanismus
- Übermäßige Pouchdilatation durch unzureichende Miktionsfrequenz
- Schleimtamponade/Steinbildung im Pouch bei zu geringem Flüssigkeitsumsatz
- Stenosen der Harnleiter-Darmanastomosen mit Rückstau in das Nierenhohlsystem
- Malresorption mit z. B. hyperchlorämischer und/oder hyperkaliämischer Acidose, Vitaminmangel.

Schemazeichnung der Anlage eines Ileum-Conduits.

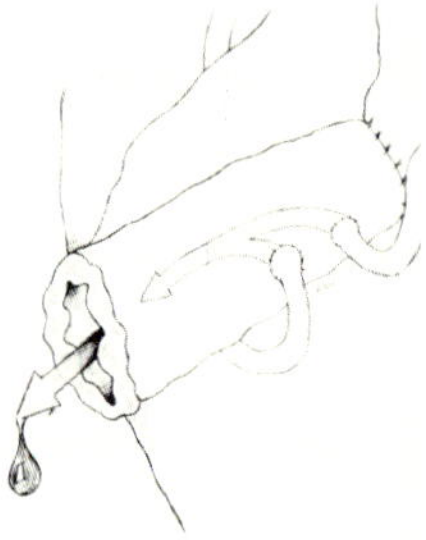

Ileum-Conduit

Das Ileum-Conduit besteht aus einem etwa 25 bis 30 cm langen Darmsegment, das aus dem terminalen Ileum isoliert, an seiner oralen Seite verschlossen und mit seinem aboralen Ende als Hautstoma im rechten Unterbauch ausgeleitet wird. Mit diesem kurzen Darmsegment sind die Harnleiter refluxiv anastomosiert. Als Reservoir dient der Urostomiebeutel, dessen Haftfläche das Stoma an der äußeren Bauchwand umschließt.

Eine runde, deutlich prominente Anlage des Conduits erleichtert die Stomaversorgung.

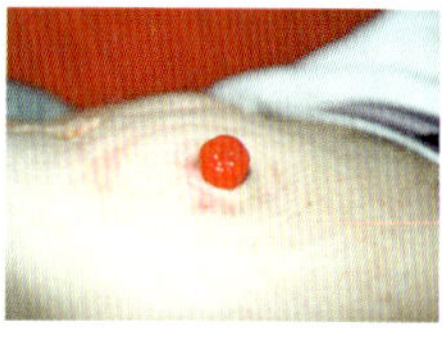

Die pflegerische Versorgung eines Conduits besteht in wenigen regelmäßigen Tätigkeiten:
- Beim 2-teiligen System: Plattenwechsel jeden Montag, Mittwoch und Freitag/Samstag – Beutelwechsel täglich
- Der 1-Teiler sollte aus hygienischen Gründen täglich gewechselt werden
- Montags Wechsel des Nachtbeutels bzw. täglich des Drainagebeutels
- Regelmäßige parastomale Rasur.

Nach der Anlage eines Conduits kann es zu den folgenden Komplikationen kommen:

- Chronischer Harnwegsinfekt mit und ohne klinische Zeichen
- Entzündungen der parastomalen Haut durch permanenten Kontakt mit Urin, weil sich der Hautschutz bei zu lang gewählten Wechselintervallen auflöst und die Haut nicht mehr abdeckt
- Bildung einer Stomastenose mit Harnstau in das obere Hohlsystem (s. li.)
- Entzündungen der Haarbälge im Bereich der parastomalen Haut infolge mangelnder parastomaler Rasur
- Stenose der Harnleiter-Darm-Anastomose mit Harnstau in das obere Hohlsystem. Rezidivierende Infektionen und hohe Drücke führen zur Beeinträchtigung der Nierenfunktion
- Fistelung vom Dünndarm zu der ausgeschalteten Schlinge mit Entleerung von Dünndarminhalt über das Conduit.

Vollständige Stomastenose

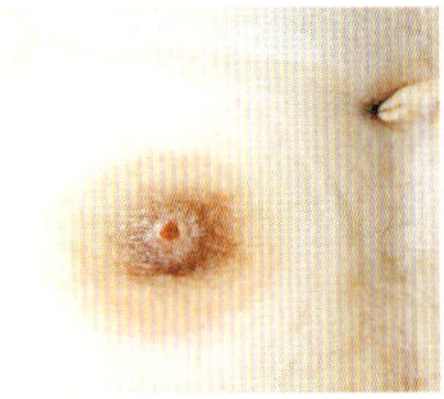

Wolfgang Webelhuth, Dr. Wolfgang Hausmann

5. Von Fall zu Fall

oder: Keiner ist wie der andere ...

Radikale Prostatektomie

Bei einem 63-jährigen Mann wird ein Prostatakarzinom diagnostiziert. Es erfolgt eine radikale Entfernung der Prostata. Da der Tumor auf *nur* einen Seitenlappen der Prostata begrenzt ist, kann eine Nerven und Blutgefäße schonende Vorgehensweise bei der Operation die Erektionsfähigkeit des Betroffenen erhalten.
Weil durch die Entfernung der Prostata zwangsläufig die prostatische Harnröhre verloren geht, muss das nun freiliegende Harnröhrenende im Beckenboden dicht am Schließmuskel mit dem Blasenhals verbunden werden.

Ein ca. acht Tage nach der Operation durchgeführtes Zystogramm hat zu beweisen, dass die Anastomose gut verheilt ist und der Katheter gezogen werden kann. Bei unserem Patienten ist dies der Fall. Sehr zu seinem Leidwesen tritt allerdings unmittelbar nach der Entfernung des Katheters eine vollständige Harninkontinenz auf. Ohne jegliches Gefühl für Blase und Schließmuskel hat er den Eindruck, »einfach auszulaufen«. Als Versorgung kommen Vorlagen und Netzhosen zur Anwendung, weil in dieser Therapiephase ein krankengymnastisch angeleitetes Beckenbodentraining im Vordergrund steht. Schon nach zwei Tagen kann der Patient den Urin im Liegen halten. Nur beim Aufstehen registriert er Harnverlust in die Vorlage, ohne diesen gefühlsmäßig wahrzunehmen.

Gut zwei Wochen nach der Operation tritt er eine Anschlussheilbehandlung an, in der weiter intensives Kontinenztraining durch Physiotherapeuten erfolgt. Während dieser Rehabilitation erlangt der Betroffene nicht die erhoffte Kontinenz, es bleibt bei Harnverlusten beim Husten und Niesen.

Nach insgesamt einem halben Jahr hat sich der Grad der Belastungsinkontinenz letztlich nicht mehr wesentlich gebessert. Unser Patient sucht erneut seinen Urologen auf, weil er diese Situation nicht akzeptieren will.
Ihm wird dargestellt, dass in dieser Situation mehrere Behandlungsmöglichkeiten in Betracht gezogen werden können. Die am wenigsten invasive Maßnahme besteht in einer Harnableitung über ein Kondomurinal. Der Betroffene wurde während der Reha über ein Wochenende bei der Familie in dieser Form versorgt. Dieses Verfahren lehnt er danach entschieden ab!

Es besteht nun die Möglichkeit, einen suprapubischen Katheter einzulegen. Dieser Schlauch, durch die Bauchdecke in die Harnblase geführt, muss etwa alle 6 Wochen gewechselt werden. Infektionen der Harnblase sind absehbar, Hautentzündungen im Bereich der Einstichstelle nicht auszuschließen. Die Harnableitung erfolgt in einen Beinbeutel. Sehr viel aufwändiger und komplikationsträchtiger würde sich die Implantation eines künstlichen Schließmuskels (artefizieller Sphinkter) gestalten. Da es sich hierbei einerseits um ein körperfremdes Implantat aus Kunststoff handelt, das im Verlauf eine relativ hohe Komplikationsrate erwarten lässt und zudem ein kompliziertes Handling erfordert, lehnt unser Patient diese Option ab.
Er wählt die Harnableitung über einen suprapubischen Katheter. Innerhalb eines Jahres nach suprapubischer Fistelung der Harnblase sind keine wesentlichen Komplikationen eingetreten.

Wolfgang Webelhuth

Ein Lebenslauf

Heute ist mein Geburtstag. Wie man sagt, bin ich ein Mädchen und wiege 3200 g. Ich schreie, damit man auch weiß, dass ich da bin.

💧💧💧

Jetzt bin ich eine Woche alt. Ich bekomme zu essen, schlafe gerne und werde ganz oft an- und ausgezogen, weil mein Po nass und schmutzig ist. Das passiert ganz von allein, keine Ahnung warum. Aber es ist wohl in Ordnung, weil niemand deswegen böse ist.

💧💧

Jetzt bin ich schon 3 Jahre alt. Ich kann sprechen, laufen und spiele gerne. Ich habe gelernt, zum Klo zu gehen. Manchmal, wenn ich nachts schlecht träume, dann ist es passiert, dass plötzlich mein Bett nass war. Mama war dann auch etwas sauer. Aber das habe ich bald sicher wieder im Griff.

💧

Mit 15 war ich das erste mal richtig verliebt. Dann kamen die ersten Annäherungsversuche. Na ja, so Sachen, über die man nicht spricht.
Wie das eben so ist, die ersten Erfahrungen mit der Sexualität.
Ich glaube ich war ziemlich verklemmt.

☺

Mit 25 habe ich geheiratet und bekam vier Kinder. Die letzte Geburt war sehr schwierig. Ich konnte nicht mehr pressen und das Kind musste herausgezogen werden. Ich habe mich relativ schnell wieder erholt, nur die Sache mit dem Wasserlassen kam nie wieder ganz in Ordnung. Keiner sagte mir, ich müsse Gymnastik machen oder so was. Es wurde einfach nicht darüber gesprochen.

»Seien sie froh, dass sie die Geburt überlebt haben,« sagte der Arzt, »das andere, das wird schon wieder«. Es wurde aber nicht.

Ich bin jetzt 42 Jahre alt und habe Schwierigkeiten, das Wasser zu halten. Beim Husten, Treppensteigen oder Lachen. Ich benutze viele Binden, um zu verhindern, dass die Wäsche ständig nass wird und ich mich wieder waschen und umziehen muss. Die Binden werden bald nicht mehr reichen. Mein Mann weiß nicht, wie er damit umgehen soll. Ich glaube er versucht es zu ignorieren. Ich schäme mich so sehr.

Ich habe meinen 60. Geburtstag gefeiert. Die ganze Familie war da und alle fragten, wie es mir geht. Ich sagte: »Mir geht es gut«, aber wie es mir wirklich geht, das kann man keinem erzählen.
Die Probleme mit dem Wasserlassen werden immer schlimmer. Ich brauche viele Windeln wie ein Baby und gehe auch nicht mehr gerne aus dem Haus. Nur zum Einkaufen und zum Friseur. Ich habe das Gefühl, man sieht es mir an. Meine Freundinnen sehe ich auch nicht mehr, ich habe von Gelenkproblemen gesprochen, aber nicht erzählt, dass ich 5 mal am Tag Pampers wechseln muss. Nachts bin ich meist noch trocken. Mein Mann hat sich mit der Sache abgefunden. Wir reden nicht oft darüber. Er holt mir die Windeln aus der Apotheke. Ich glaube, es war ihm damals sehr unangenehm, als alles anfing. Mit der Zeit hatten wir immer weniger intimen Kontakt, das hat mich sehr traurig gemacht.

Ich bin nun 76 Jahre alt und mein Mann ist vor einem Jahr gestorben. Ich kann mich nicht mehr selbst versorgen und wohne bei meiner berufstätigen Tochter.
Vor der Arbeit versorgt sie mich und ich sitze im Sessel und warte bis Mittags. Dann kommt sie in ihrer Pause und begleitet mich zur Toilette. Es ist alles noch viel schlimmer geworden. Ich verliere das Wasser und manchmal auch den Stuhlgang. Ich schäme mich so sehr. Wenn es mittags passiert, ist meine Tochter verärgert, weil sie es zeitlich kaum schafft, mich zu waschen und neue Pampers anzuziehen. Manchmal geht auch was daneben und das kostet viel Wäsche.
Meine Tochter hat Angst, dass es in der Wohnung riechen könnte. Sie hat viel Arbeit mit mir. Manchmal ekelt sie sich auch, das spüre ich genau, aber sie gibt es nicht zu. Das ist das Schlimmste. Ich bin jetzt sehr oft wund. Es brennt furchtbar und die Haut geht an vielen Stellen auf. Meine Tochter weiß nicht weiter.

💧💧💧💧

Seit einem halben Jahr bin ich im Altenheim. »Dort können sie besser für dich sorgen«, sagt meine Tochter. Sie haben mir einen Katheter gelegt. Ich liege viel im Bett. Laufen kann ich fast nicht mehr und die Schwestern haben keine Zeit zum Üben. Ich trage immer noch Pampers, weil manchmal die Verdauung kommt, ohne dass ich es merke. Vielleicht habe ich auch verlernt, darauf zu achten.

Ich werde gewaschen, gedreht und gewendet. Der Katheter wird oft gewechselt, weil er verstopft ist. Dann kneife ich die Augen fest zusammen und versuche an etwas anderes zu denken. Die Schwestern sagen: »Sie müssen locker bleiben, dann tut es nicht weh«. Vielleicht wissen sie es nicht besser. Manchmal habe ich Fieber und der Urin stinkt. Ich bin so müde. Aber ein Tag folgt auf den anderen. Bis es einfach irgendwann aufhört ...

Stefanie Busemann-Sauer

6. Schlüssel zur Hilfe

Pflegerische Einschätzung und Konzeption bei Patienten mit Kontinenzstörungen

Wie die medizinische Anamnese für den Arzt, so ist die pflegerische Einschätzung bei komplexen Beschwerde- und Krankheitsbildern der maßgebliche Schlüssel in der Hand der Pflegenden. In diesem Kapitel findet sich kein standardisierter Erhebungsbogen. Das Ziel besteht darin, eine Sensibilisierung für die Situationseinschätzung zu erreichen.

Was ist das überhaupt: Anamnese?

Das Wort Anamnese stammt aus dem Griechischen und heißt wörtlich: Erinnerung. Es steht für Krankengeschichte, Art, Beginn und Verlauf der aktuellen Beschwerden (Pschyrembel). All dies soll im Gespräch mit dem Patienten in Erinnerung gerufen, hervor gelockt werden, denn auf viele Dinge würde der Patient ohne gezielte Fragen gar nicht kommen und Zusammenhänge naturgemäß nicht erkennen können. Hier beginnt unsere Aufgabe als Pflegende, denn die Erhebung einer gründlichen Pflegeanamnese ist unverzichtbarer Bestandteil und Grundlage qualifizierter und gut durchdachter Pflege.

Ein komplexes Krankheitsbild erfordert differenzierte Betrachtungsweisen

Die pflegerische Einschätzung der Kontinenz bzw. Inkontinenz dient gemeinsam mit der medizinischen Diagnostik der Klärung der Inkontinenzursache und der Klassifizierung der Inkontinenzform. So ist z. B. bei der Situationserhebung zu berücksichtigen, dass es auch Mischformen der

Inkontinenz gibt. So leidet beispielsweise eine Patientin infolge eines Geburtstraumas bereits seit mehren Jahren an einer Belastungsinkontinenz, und nun zeigt sich, bedingt durch einen Apoplex, zusätzlich eine deutliche Drangsymptomatik ...

Inkontinenz kann neben organischen Ursachen auch durch die Veränderung der Umgebungsbedingungen hervorgerufen werden. So kommt es gerade beim älteren Menschen durch Einschränkungen der örtlichen Orientierungsfähigkeit zu Inkontinenz. Ekel vor fremden Toiletten, Missachtung der Intimsphäre bei Steckbeckenbenutzung und Bewegungseinschränkungen sind weitere mögliche Ursachen. Inkontinenz kann aber auch als Machtmittel eingesetzt werden.

Miktionsanamnese

Die gewonnenen Informationen dienen einerseits der Intensivierung der medizinischen Diagnostik, andererseits der Formulierung erreichbarer Pflegeziele mit den entsprechenden pflegerischen Interventionen und der damit verbundenen individuellen Hilfsmittelanpassung. Da nur ein sehr geringer Teil der Betroffenen freiwillig über seine Inkontinenz redet, ist es wichtig, auf Verschmutzungen der Kleidung, Hautirritationen im Genitalbereich sowie Verwendung von Hilfsmitteln zu achten.

Im Gespräch ist zunächst zu klären, ob dem Betroffenen die Inkontinenz bewusst ist. Die pflegerische Einschätzung sollte immer exakt die Ist-Situation erfassen, ohne eine verfrühte Wertung abzugeben. Neben den heute üblichen Pflegeanamnesebögen ist die Verwendung eines Miktionsprotokolls zu empfehlen.

Einerseits wird in diesem Miktionsprotokoll eine exakte IST-Erhebung der Ausscheidungssituation dargestellt. Zum anderen ist das Miktionsprotokoll ein hervorragendes Pflegedokumentationsmittel, da es eine lückenlose Verlaufsbeschreibung ermöglicht.

Vor dem Hintergrund der exakten Darstellung der Ausscheidungssituation sollten nachfolgende ATL der allgemeinen Pflegeanamnese besonders bewertet werden:

Bewegung

Kann der Betroffene sich selbstständig bewegen? Bei der Erörterung dieser Frage geht es nicht nur darum, ob ein Betroffener noch laufen kann oder nicht. Vielmehr ist auf Erkrankungen zu achten, die eine Bewegungseinschränkung zur Folge haben, die schon mit Verlassen des Bettes oder dem

Aufstehen aus dem Sitzen beginnt. So kann Inkontinenz z. B. schon hervorgerufen werden, wenn das Aufstehen erschwert ist, der Weg zur Toilette zu weit ist, und ein Setzen auf die Toilette durch fehlende Griffhalterungen oder Toilettenerhöhungen beinahe unmöglich wird.

Waschen und Kleiden

Die Betrachtung dieser ATL sollte einen direkten Bezug zur Ausstattung der sanitären Einrichtung haben. Zu klären ist, ob Toiletten warm, hell, sauber und gut belüftet sind. Das positive Erleben der Ausscheidungssituation kann ein herausragendes Moment für die Motivation bei Maßnahmen des Kontinenztrainings sein.

Gleiches gilt für die technische Ausstattung der Toiletten mit zweckmäßigen Haltegriffen, Sitzerhöhungen und hautfreundlichem Toilettenpapier. Der Toilettengang sollte ebenso wie der anschließende Waschvorgang in einer sauberen und diskreten Atmosphäre vollzogen werden können.

Die Kleidung des Betroffenen sollte dem Kontinenzprofil anpasst sein, was sich hauptsächlich auf die Benutzerfreundlichkeit bei motorischer Einschränkung bezieht.

Ernährung

Die Erfassung der Gewohnheiten beim Essen und Trinken beschränkt sich leider oft nur auf die Frage nach der selbstständigen Nahrungsaufnahme oder der Anwendung spezieller Diäten. Für die Erstellung des Kontinenzprofils ist es wichtig, die Ess- und Trinkgewohnheiten komplexer zu erfassen, so z. B. die tägliche Trinkmenge, die Zeitverteilung der Trinkmenge oder auch die Art der Getränke

Die tägliche Trinkmenge sollte (wenn nicht durch andere Erkrankungen eingeschränkt) mindestens 2 Liter betragen und über den Tag verteilt aufgenommen werden. Eine geringe Flüssigkeitszufuhr begünstigt die Bildung von Harnsteinen und führt u. U. wie ein zu konzentrierter Harn zur Inkontinenzsymptomatik.

Die Auswahl der Getränke darf ebenfalls nicht vernachlässigt werden. Diuretisch wirkende Getränke wie beispielsweise Kaffee oder Alkohol sollten eingeschränkt werden. Auch sollten diese Getränke nicht am späten Abend verabreicht werden. Falsche (v. a. ballaststoffarme) Ernährung und zu geringe Trinkmengen führen zur Obstipation, in deren Folge es durch permanentes Pressen zur Harninkontinenz kommen kann.

Ausscheiden

Bei Verdacht oder dem Vorhandensein einer Inkontinenz sollten folgende Fragen unbedingt gestellt werden:

- In welcher Situation kommt es zum unfreiwilligen Urinverlust?
- Tritt die Inkontinenz vermehrt am Tag oder in der Nacht auf?
- Kommt es zu starken Harndrangsensationen?
- Hat der Betroffene nach der Miktion das Gefühl einer vollen Blase?
- Kann der Betroffene nur unter Einsatz der Bauchpresse Wasser lassen?
- Kommt es zu Miktionsschmerzen?
- Ist der Harnstrahl gespalten oder verdreht?
- Ist der Miktionsvorgang stotternd?
- Wie oft muss der Betroffene zur Toilette?
- Wie groß sind die Urinportionen?
- Wie groß ist die unfreiwillig abgegangene Urinmenge?

Die letzte Frage ist von besonderer Bedeutung für eine wirtschaftliche und sichere Hilfsmittelversorgung. Durch die Ermittlung der unfreiwillig abgegangenen Urinmenge pro Zeiteinheit wird die Inkontinenz in verschiedene Schweregrade eingeteilt. Neben den reinen Harnausscheidungsgewohnheiten müssen gleichzeitig die Stuhlentleerungsgewohnheiten erfasst werden, da gerade in Verbindung mit neurologischen Erkrankungen eine Störung der Darmfunktion zu erwarten ist, die sich als Stuhlinkontinenz oder Obstipation durch eine Stuhltransportstörung darstellt.

Kommunizieren

Kommunizieren schließt die Frage des Gesprächs über Inkontinenz ebenso ein, wie die Einschränkung durch Sprachbehinderung oder mangelnde technische Ausstattung. Für Patienten mit Sprachstörung ist es wichtig, dass sich gemeinsam auf ein Zeichen verständigt wird, welches beginnenden oder bestehenden Harndrang eindeutig signalisiert. Ein weiteres Problem ist die Erreichbarkeit und Benutzung von Patientenrufanlagen im stationären oder Heimpflegebereich, die für die Betroffenen eine z. T. unüberwindbare Hürde darstellen. Andererseits ist es aber auch wichtig, dass zwischen dem Patientenruf und dem Eintreffen der Pflegekraft nur wenig Zeit vergeht, da gerade bei der Durchführung von Maßnahmen des Kontinenztrainings jeder Misserfolg demotivierend wirkt.

Sinn finden

Durch die Erforschung der biographischen Hintergründe und Lebensgewohnheiten schließt sich nun die Phase der aktiven Lebensgestaltung an. Erste und wichtigste Aufgabe ist hier das Aufzeigen von Mitteln und Wegen zu einer uneingeschränkten Teilnahme am gesellschaftlichen Leben. Gelingt dies, steigt zweifelsfrei auch die Motivation, am Kontinenztraining teilzunehmen. Die Eröffnung und volle Ausschöpfung aller Maßnahmen der Kontinenzförderung muss zum Ziel haben, das tägliche Leben wieder mit Inhalten zu füllen.

Beraten und steuern

Die Harninkontinenz beschäftigte die Menschheit in den unterschiedlichsten Entwicklungsepochen – vor allem im Zusammenhang mit den Vorstellungen zur Physiologie der Harnspeicherung und Harnentleerung.
Die kontinuierliche Forschung auf diesem Gebiet hat zu herausragenden wissenschaftlichen Ergebnissen geführt. Durch die Spezifikation diagnostischer und therapeutischer Verfahren können heute viele der Betroffenen wieder kontinent werden. Mit der Entwicklung modernster therapeutischer Verfahren entstand gleichzeitig ein bedürfnisorientiertes Angebot an Inkontinenzhilfsmitteln, das allerdings Betroffenen oft vorenthalten wird.

Inkontinenz – Problem oder Aufgabe?

Was ist der Unterschied zwischen einem Problem und einer Aufgabe? Es gibt keinen wesentlichen Unterschied, denn bei der Lösung von beiden geht es darum, ein Ziel zu erreichen. Dieses Ziel erreichen wir nur, wenn wir systematisch vorgehen. Gezieltes und planbares Inkontinenz -Management bedeutet somit die konsequente Anwendung des A-PDCA-Zyklus, auf den basierend die Pflegeprozessmethode entwickelt wurde.

Analyse

Die Analyse der Inkontinenz muss sich mit medizinischen, pflegerischen, hygienischen und sozialen Aspekten beschäftigen. Da Betroffene, gerade unter dem Aspekt des Milieuwechsels (Einweisung in das Krankenhaus oder Umzug in das Pflegeheim), mit einer bestehenden Inkontinenz nur selten in die Offensive gehen, müssen alle inkontinenzrelevanten Fragen im Rahmen der Pflegeanamnese gestellt werden. Beginn und Art der Beschwerden sind ebenso von Interesse, wie die tägliche Miktionsfrequenz, Quantität und Qualität der Miktion, Medikamenteneinnahme und vorausgegangene Operationen, die eine Kausalität zur Inkontinenz darstellen.
Erkrankungen wie Multiple Sklerose, Schlaganfall, Morbus Parkinson, Morbus Alzheimer u. a. können ursächlich für die bestehende Inkontinenz sein.

Planung

Die individuelle Hilfsmittelversorgung ist der erste Planungsschritt. Das Ziel der Versorgung besteht in der Schaffung von sozial und hygienisch akzeptablen Bedingungen. In der Praxis finden sich leider noch zu oft Beispiele dafür, dass Betroffene in dieser Phase eine endgültige Versorgung mit Windel oder Dauerkatheter erfahren.

Fallbeispiel:

Nach einer radikalen Prostatektomie leidet ein Patient an einer schweren Inkontinenz mit einem Urinverlust bis zu 50 ml/Stunde. Die Inkontinenzversorgung besteht aus aufsaugenden Vorlagen ohne Superabsorber. Die Anlage eines Kondom-Urinals mit Beinbeutel wurde dem Betroffenen mit folgender Argumentation verweigert:

- *Mit einem Kondom-Urinal ist es dem Patienten nicht möglich seine Beckenbodengymnastik mit gebotener Ernsthaftigkeit durchzuführen.*
- *Die aufsaugende Versorgung verstärkt durch das Nässegefühl den Druck auf den Betroffenen, die therapeutischen Maßnahmen konsequent umzusetzen.*
- *Kondom-Urinale zerstören die Haut durch Druckulzera und Verschluss der Haut unter dem Hilfsmittel.*

Diese Argumentation ist kein Einzelfall!

- Kosten werden verursacht, da es mit Fortbestehen der Inkontinenz zu Hautschädigungen durch permanenten Urinkontakt kommt.
- Nicht zu vernachlässigen ist die Geruchsbelästigung bei minderwertigen aufsaugenden Inkontinenzversorgungen. Gleiches gilt für die Gefahr der Nässedurchdringung der Wäsche.
- Eine gesellschaftliche Reintegration wird erheblich eingeschränkt. Die Wiederaufnahme der beruflichen Tätigkeit wird erheblich behindert.
- Das Kondomurinal würde im beschriebenen Fall die bessere Alternative darstellen, da bei fachgerechter Anpassung Hautschäden unterbunden werden. Die soziale und hygienische Problematik wird reduziert, da der Urin sicher abgeleitet und gesammelt wird.
- Budgetbelastende Behandlungen der Hautdefekte werden vermieden.

Mit der Hilfsmittelversorgung ist die Versorgung nicht beendet!

Alle gesammelten Information müssen im Rahmen eines interdisziplinär agierenden Teams dem Arzt übermittelt werden, um eine zielführende Diagnostik mit nachfolgender Inkontinenztherapie einzuleiten. Kombiniert mit der Hilfsmittelversorgung müssen Kontinenztrainingsprogramme und eine exakte Dokumentation ermöglicht werden.

Durchführung

Die Beratung und Versorgung von Betroffenen setzt voraus:

- Entscheidungsfreiheit
- Vertrauensbasis
- Fachkompetenz
- positive Einstellung

In diesem Prozess muss darauf geachtet werden, dass die Entscheidungen mit dem Betroffenen gemeinsam erarbeitet werden. Eine Identifizierung mit der vorgeschlagenen Versorgung kann ein motivierendes Moment während der gesamten Behandlungsdauer darstellen.

Check

Der eingeschlagene Weg der Hilfsmittelversorgung wird von unterschiedlichsten Bedingungen beeinflusst. So können z. B. Verbesserung der Mobilität oder Situationsverbesserung in Folge des Kontinenztrainings eine Veränderung der Versorgung bedeuten. Ein weiteres Beispiel ist die Verbesserung der Arm- und Handfunktion unter dem Aspekt der selbstständigen Benutzung eines Hilfsmittels.

Der Beratende muss weiterhin die außerklinischen Bedingungen des Betroffenen in Erfahrung bringen, damit eine Versorgungskombination für den häuslichen und außerhäuslichen Bereich gewährleistet ist.

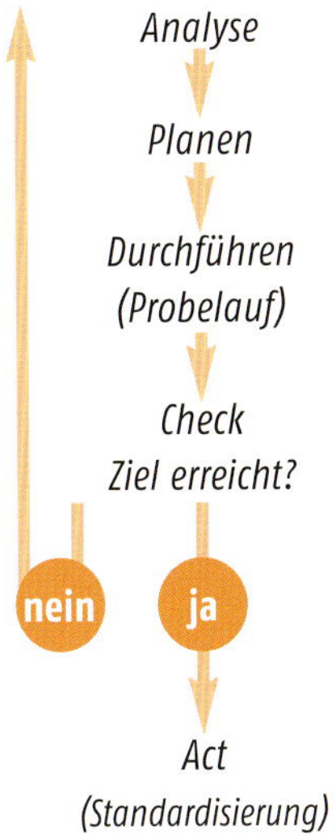

Act

Inkontinenzmanagement aus Sicht der Pflege ist deutlich mehr als Hilfsmittelanpassung und Kontinenztraining. Managen steht für Organisieren. Neben dem Training in der Hilfsmittelanwendung, der Durchführung unterschiedlichster Trainingsprogramme u. a. bedeutet Inkontinenzmanagement ggf. weiterhin die reibungslose Überleitung eines Betroffenen vom klinischen in den außerklinischen Bereich. Eine koordinierte Weiterversorgung ist mitentscheidend für die Vermeidung von schwerwiegenden Komplikationen. Inkontinenzmanagement ist eine komplexe interdisziplinäre Aufgabe. Der Erfolg des Inkontinenzmanagements hat drei Buchstaben: **TUN!**

Dietmar Hegeholz

7. Neuorientierung

Kontinenzförderung als »Roter Faden«

Was haben wir uns in der Vergangenheit nicht für Wortakrobatik geleistet, wenn es um Inkontinenz und Pflege ging. Zum Beispiel *Inkontinenz-Pflege:* wurde da nun die Inkontinenz gepflegt oder die inkontinente Person? Und was war überhaupt unter **Pflege** bei Inkontinenz zu verstehen: Bettschutz, Inkontinenzslips, Katheter – und sonst?
Vielleicht überspitze ich ein wenig – betrachten Sie es als rhetorische Finte, wenn Sie es so empfinden. Aber es fehlte in der Tat eine allgemein verbindliche Perspektive und Ausrichtung, die Erfolg versprechender ist als nur die bestehende Inkontinenz zu »verwalten« oder in »Pampers« zu verpacken, zumal auch operative Optionen sehr begrenzt sind.

Sinneswandel

In den letzten Jahren wurde nun ein neuer Weg auf eine andere Ebene beschritten, wo sich der Blick weitet und eine offensivere Herangehensweise an das Pflegeproblem Inkontinenz möglich wird.
Indiz für diesen Umdenkprozess ist u. a. die Umbenennung der ehemaligen »Gesellschaft für Inkontinenzhilfe« (GIH) in *»Deutsche Kontinenz Gesellschaft«*. Ein anderer deutlicher Fingerzeig war die Entwicklung des *»Expertenstandard Förderung der Harnkontinenz«*, der vom Deutschen Netzwerk für Qualitätssicherung in der Pflege (DNQP) 2004 initiiert und von einer dazu berufenen Expertengruppe 2005 auf den Weg gebracht wurde. Diese beiden Beispiele sind zwar auf den ersten Blick rein terminologische Neuerungen, doch verbirgt sich hinter diesem Sinneswandel kein Etikettenschwindel.

Der konzeptionelle Ansatz ist ein anderer als früher. Dies wird nicht zuletzt deutlich in dem bereits erwähnten Expertenstandard. Dieser Standard beschreibt an erster Stelle die Erkennung und Analyse des Kontinenzproblems durch entsprechende Erhebungsinstrumente wie Beobachtung, Anamnese und Miktionsprotokoll. In den Vordergrund wird hierbei, wie auch bei der Planung pflegerischer Maßnahmen, ein hohes Maß an Beratungsleistung gestellt. In der zentralen Zielformulierung des Standards heißt es: »Bei jedem Patienten/Bewohner wird die Harnkontinenz erhalten oder gefördert. Identifizierte Harninkontinenz wird beseitigt, weitestgehend reduziert bzw. kompensiert.«
Diese Aussage wird in der Begründung wie folgt gestützt: »... Durch frühzeitige Identifikation von gefährdeten und betroffenen Patienten/Bewohnern und der gemeinsamen Vereinbarung von spezifischen Maßnahmen kann dieses Problem erheblich positiv beeinflusst werden.«
So begleitet nun das Konzept der Kontinenzförderung dieses Buch und zieht sich wie ein roter Faden durch die einzelnen Kapitel.

Die Pflegefachkraft identifiziert im Rahmen der pflegerischen Anamnese Risikofaktoren und Anzeichen einer Harninkontinenz ...

Schon im Rahmen der pflegerischen Anamnese ist eine *initiale Einschätzung* zu Risikofaktoren und Symptomen einer Harninkontinenz zu treffen. Weitere Instrumente für eine genaue Einschätzung sind zum Beispiel die Bestimmung des Restharns (erwiesenermaßen auch möglich durch Pflegefachkräfte mittels tragbarer Ultraschallgeräte), der Pad-Weight-Test (24-Std.-Vorlagengewichtstest) und der Einsatz eines Miktionsprotokolls. In den jeweiligen Gesundheitseinrichtungen ist ggf. zu prüfen, ob bereits Miktionsprotokolle vorhanden oder ob diese einzuführen sind. Es gilt zu klären, ob ggf. vorhandene Miktionsprotokolle auch die gewünschten Parameter abbilden und auf die Zielgruppe abgestimmt sind.
Die Expertengruppe maß dem Instrument »Miktionsprotokoll« in der Problemanalyse der Harninkontinenz einen hohen Stellenwert bei. Denn mit dem Miktionsprotokoll kann die Ausprägung der Inkontinenzsymptome erhoben werden und es bildet somit eine wichtige Grundlage für die Auswahl der Interventionen zur Kontinenzförderung. Informationen, die anhand eines Miktionsprotokolls erhoben werden können, sind z. B. :

- die Anzahl und das Volumen der Miktionen,
- die Häufigkeit des ungewollten Urinverlustes,
- die situativen Bedingungen, die zu unfreiwilligem Urinverlust führen.

Die Pflegefachkraft führt bei Vorliegen von Kontinenzproblemen eine differenzierte Einschätzung (z. B. auf der Grundlage eines zielgruppenspezifischen Miktionsprotokolls) durch bzw. koordiniert in Absprache mit dem behandelnden Arzt erforderliche diagnostische Maßnahmen ...

Die Pflegefachkraft interpretiert die vorliegenden Informationen und erstellt auf der Basis der Fähigkeiten und Abhängigkeiten des Patienten/Bewohners sowie der bereits eingesetzten Hilfen ein aktuelles Kontinenzprofil. Dies bedeutet, dass eine Aussage über den Grad der Abhängigkeit von personeller oder materieller Hilfe gemacht werden kann. Diese ist dann Grundlage für die Beratung sowie die Auswahl der Maßnahmen zur Kontinenzförderung. Auf dieser Basis sorgen die Pflegenden nun für eine kontinuierliche Umsetzung des Maßnahmenplans. Eine klare und verständliche Information des Patienten/Bewohners sowie ggf. der Angehörigen über die pflegerische Einschätzung und die Beratung zur Erhaltung/Förderung der Kontinenz und entsprechende Maßnahmenplanung ist von großer Bedeutung für die Motivation und Compliance des Patienten.

Die Pflegefachkraft informiert den Patienten/Bewohner und ggf. seine Angehörigen über das Ergebnis der pflegerischen Einschätzung und bietet in Absprache mit den beteiligten Berufsgruppen eine ausführliche Beratung zur Kontinenzerhaltung oder -förderung und ggf. zur Kompensation einer Inkontinenz an ...

Allgemeine Maßnahmen

Verhaltensmodifizierende Maßnahmen wie das Management der Flüssigkeitszufuhr und die Steuerung des Körpergewichts sowie der Darmausscheidung sind primäre und präventive Strategien zur Förderung der Kontinenz. So ist eine angemessene Flüssigkeitszufuhr von 1,5 bis 2 l pro Tag zu empfehlen, z. B. in Form von Wasser, Tee und Fruchtsäften, denn allzu konzentrierter Urin kann eine Drangsymptomatik und das Risiko einer Harnwegsinfektion verstärken. Gewichtsreduktion ist ggf. ratsam, denn auch Adipositas ist wegen des dadurch bedingten ständig erhöhten abdominellen Drucks ein Risikofaktor für die Harninkontinenz. Schließlich kann eine chronische Obstipation wegen der unmittelbaren Nachbarschaft von Rektum und Harnblase ebenfalls eine Drangsymptomatik begünstigen. Ausreichende Flüssigkeitszufuhr, ballaststofforientierte Ernährung und körperliche Bewegung sind somit zu empfehlen und zu fördern.

Eine weitere wichtige Strategie ist die Förderung der Autonomie der Patienten. Schlecht beschilderte und beleuchtete Toiletten, fehlende Haltegriffe und Toilettensitzerhöhungen, weite Wege, Türschwellen oder zu enge Türen stellen Barrieren dar und sind somit Risikofaktoren der Inkontinenz. Daher müssen Kontinenz fördernde Ausstattungen wie auch Hilfsmittel ein vordringliches Anliegen der Gesundheitseinrichtungen sein. Dies umfasst u. a. leicht erreichbare und einfach zu bedienende Alarm- und Sprechanlagen. Ebenso wichtig sind Beschilderungen, Haltevorrichtungen und Beleuchtungen, die den Weg zur Toilette erleichtern. Toilettensitzerhöhungen sollten ebenso verfügbar sein wie ausreichend Platz im WC für behinderte Menschen im Rollstuhl + 2 Pflegekräfte (für diesen Platzbedarf gibt es Normen!). Darüber hinaus ist anzumerken, dass die Toilettenräume angenehm klimatisiert und beleuchtet sowie in hygienisch einwandfreiem Zustand sein müssen, damit die Benutzer nicht »blockiert« werden. Grundsätzlich zur Verfügung stehen müssen mobile Toilettenhilfen wie Bettschüsseln (»Pfannen«) oder Urinflaschen, wenn das »Wasserlassen« nur im oder am Bett möglich ist.

Die Wahrung der Intimsphäre der Patienten/Bewohner ist Grundprinzip einer Kontinenz fördernden Umgebung. Es umfasst neben einer diskreten verbalen und nonverbalen Kommunikation vor allem den Schutz vor unbefugten bzw. unerwünschten Zuschauern bei selbst durchgeführten oder pflegerischen Interventionen im Intimbereich. Gesundheitseinrichtungen müssen sicherstellen, dass entsprechende Sichtschutzmaßnahmen im Zimmer des Patienten/Bewohners vorhanden sind, wie z. B. eine »Spanische Wand« oder eine Teleskopgardine. Gerade zur Wahrung der Intimsphäre ist eine personelle Besetzung anzustreben, die eine Versorgung von Frau zu Frau und von Mann zu Mann ermöglicht.
Ein besonderes Augenmerk gilt den Menschen aus anderen Kulturkreisen, die gerade im Intimbereich ganz anders senibilisiert sind. Hier ist die intensive Auseinandersetzung der Pflegenden mit diesem Thema erforderlich.

Die Pflegefachkraft plant unter Einbeziehung der beteiligten Berufsgruppen mit dem Patienten/Bewohner und ggf. mit seinen Angehörigen individuelle Ziele und Maßnahmen zur Förderung der Harnkontinenz bzw. der Kompensation der Harninkontinenz ...

Spezielle Strategien
Zur Förderung der Kontinenz sind verschiedene Trainingsformen und Verhaltenstherapien geeignet. Unterstützt werden diese Maßnahmen durch eine differenzierte Auswahl von Hilfsmitteln zur Kompensation der Inkontinenz.

Das **Miktionstraining** ist eine Form des Konditionierens. Ziel ist es, die Blasenkapazität zu erhöhen. Die Fähigkeit, den Harndrang zu beherrschen, soll verbessert und die Ausscheidungsintervalle sollen verlängert werden, was nicht zuletzt den »Nervfaktor« durch zu häufiges Aufsuchen der Toilette reduziert. Auf Grund vorliegender Forschungsergebnisse kann davon ausgegangen werden, dass Blasentraining v. a. bei Frauen mit Belastungs- und Dranginkontinenz oder Mischformen eine hilfreiche Strategie in der Kontinenzförderung darstellt.

Beckenbodentraining ist eine effektive, durch Forschungsergebnisse eindrucksvoll gestützte Methode v. a. für erwachsene Frauen, die an Belastungsinkontinenz leiden. Gleichermaßen effizient ist das Training bei Männern nach Prostataresektion. Ziel des Beckenbodentrainings ist es, unter Anleitung professioneller Akteure die Beckenbodenmuskulatur und somit auch die Schließkraft der Sphinkter durch spontane Kontraktionswiederholungen und/oder mit Einsatz eines Hilfsmittels zu trainieren und dadurch zu stärken. Im Kapitel 8 gehen Frau Wellnhofer und Frau Hahlweg besonders auf diese Trainingsmethode ein.

Eine sehr bedeutsame und hilfreiche pflegerische Intervention stellt das **Toilettentraining** dar. Ziel ist es in erster Linie, die Inkontinenzepisoden auf ein mögliches Minimum zu reduzieren oder sogar ganz zu vermeiden. Die Dranginkontinenz ist zweifellos die Domäne des Toilettentrainings. Das Toilettentraining könnte idealerweise tagsüber erfolgen bzw. dann, wenn der Patient/Bewohner wach und ansprechbar ist. Der Schlaf sollte jedenfalls nicht »therapeutisch behindert« werden. Da diese Maßnahme besonders personalintensiv ist, stößt die Umsetzung in der Praxis leider oft an Grenzen ...

Es werden drei Formen des Trainings unterschieden:

1. der angebotene Toilettengang,
der die Blasenkontrolle bei Menschen mit oder ohne kognitive Einschränkung stärken und die Sensibilität für die Blasenfunktion fördern soll.

2. der Toilettengang zu festgelegten Entleerungszeiten,
der die geeignete Intervention für Menschen ist, die nicht mehr in der Lage sind, unabhängig und selbstständig die Toilette aufzusuchen.
3. der Toilettengang zu individuellen Entleerungszeiten,
der sinnvoll ist für psychisch und kognitiv eingeschränkte Menschen, die nicht von Methoden eines Verhaltenstrainings profitieren können. Diese Form orientiert sich an dem individuellen Ausscheidungsprofil des Betroffenen, basierend auf dem Miktionsprotokoll.

Ein vorausgehendes sorgfältiges Assessment ist bei all diesen Maßnahmen von großer Bedeutung. Nur so können Interventionen gezielt ausgewählt werden. Die passenden Maßnahmen sind abhängig von
- der Form der Inkontinenz
- der medizinischen Diagnose
- der pflegerischen Einschätzung
- den individuellen Ressourcen und Fähigkeiten.

Weitere Voraussetzung für eine erfolgreiche Kontinenzförderung sowohl im häuslichen Bereich als auch in Gesundheitseinrichtungen ist eine personelle Präsenz, die eine kontinuierliche Durchführung z. B. von begleiteten Toilettengängen gewährleistet. Insbesondere der Bitte um Hilfe bei der Ausscheidung ist in diesem Zusammenhang mit entschiedener, offener Hilfsbereitschaft und Diskretion nachzukommen, denn es ist davon auszugehen, dass es dem Patienten/ Bewohner nicht unbedingt leicht fällt, diese zu äußern. Misstrauen und Resignation stellen sich schnell ein, wenn einer solchen Bitte nicht zuverlässig entsprochen bzw. die Kontinuität eines Toilettentrainings durch Zeitmangel des Pflegepersonals nicht eingehalten wird.

Eine differenzierte Auswahl von ggf. erforderlichen Hilfsmitteln ist von großer Bedeutung für das Sicherheitsempfinden der Betroffenen. So ist beispielsweise bei einem Patienten/Bewohner mit körperlichen Einschränkungen und häufigen nächtlichen Toilettengängen die Anschaffung eines Toilettenstuhls in der häuslichen Umgebung eine entscheidende Hilfe zur Vermeidung bzw. Reduzierung von Inkontinenzepisoden. Des weiteren möchte ich an dieser Stelle auf die beiden entsprechenden Kapitel 16 und 17 über aufsaugende und ableitende Versorgungsprodukte verweisen ...
Der Erfolg der durchgeführten Maßnahmen sowie die Effizienz der eingesetzten Hilfsmittel sind kontinuierlich zu überprüfen. Wichtig ist es, über-

fordernde, den vorhandenen Möglichkeiten nicht entsprechende Maßnahmen und Hilfsmittel zu vermeiden. Sie demoralisieren Betroffene, Angehörige wie auch Pflegende und **schwächen** die Motivation!

Die Strategie der Kontinenzförderung ist auf die Stuhlinkontinenz übertragbar: es gelten prinzipiell dieselben Leitlinien wie für die Harninkontinenz. Medizinische Diagnostik und pflegerische Anamnese führen zur genauen Einschätzung der Stuhlkontinenzstörung.
Gemeinsam mit Patient und ggf. Angehörigen werden in der Beratung Maßnahmen empfohlen und verabredet. Präventive Maßnahmen haben einen hohen Stellenwert, da z. B. die chronische Obstipation eine häufige Ursache für die Kontinenzstörung ist. So spielen hierbei Konzepte der Obstipationsprophylaxe naturgemäß eine wichtige Rolle.
Das Beckenbodentraining hat auch bei der Stuhlinkontinenz seine Bedeutung. Patienten mit Befunden wie Analprolaps oder anhaltende Diarrhoe (kann »paradox« und Hinweis auf ein stenosierendes Rektum-Ca sein!) sollten dazu aufgefordert werden, schnellstens Kontakt zu einem Arzt aufzunehmen, um die Befunde abklären und ggf. behandeln zu lassen!
In der ärztlichen wie pflegerischen Beratung kann es im Sinne der Kontinenzförderung auch angezeigt sein, eine Stomaanlage als Alternative (nicht nur als ultima ratio!) in Erwägung zu ziehen. Ebenso wie die transanale Irrigation ggf. eine Maßnahme der Kontinenzförderung ist, stellt die Option zur transstomalen Irrigation de facto eine *Kontinenz* (d. h. kontrollierte Ausscheidung) in Aussicht. Dies ist in punkto Lebensqualität weit erträglicher als die untherapierbare Stuhlinkontinenz, zumal hierbei die Hilfsmittelauswahl sehr begrenzt ist. Die Kapitel 12 bis 15 werden Ihnen das Thema Stuhlinkontinenz umfassend präsentieren und Pflegekonzepte darstellen.

Thomas Boelker

8. Das Power-Becken wecken

Grundlagen der Beckenbodentherapie

Anatomie und Physiologie des Beckenbodens

Bauch- und Beckenhöhle werden kranial durch das Zwerchfell, ventral durch die vordere Bauchwandmuskulatur und den Beckenring, dorsal durch die Wirbelsäule und die dorsalen Bauchwandmuskeln und kaudal durch die Beckenbodenmuskelschichtungen begrenzt.

Die quergestreifte Muskulatur, die als Beckenbodenmuskulatur (Diaphragma pelvis) zusammengefasst wird, schließt den knöchern umrahmten Ausgang der Beckenhöhle unvollständig ab. Das Levatortor ist die ungeteilte Öffnung für den gemeinsamen Durchtritt bzw. die Mündung der Beckenorgane. Der vordere Teil dieser Öffnung wird als *Hiatus urogenitalis* bezeichnet, der hintere als Hiatus ani. Diese Durchtrittspforten sind von Muskulatur und Bindegewebsstrukturen unter- und außerhalb des Beckenbodens gehalten und ergänzt.

In der Beckenhöhle befinden sich unterschiedliche Organe im Funktionsbereich des Harnsystems, des Verdauungssystems und die Geschlechtsorgane von Mann und Frau.

Nach vorne gelegen stellt sich die Blase und die Harnröhre dar, nach hinten zum Steißbein hin befinden sich der Enddarm und der Analkanal. Die weiblichen Geschlechtsorgane liegen zwischen Harnblase und Rektum und Teile des männlichen Geschlechtssystems sind hinter und unterhalb der Harnblase angelegt, welche mit den äußeren Geschlechtsorganen in Verbindung stehen.

Außerdem ist der Raum zwischen knöchernem Beckenring und den darin gelegenen Organen mit Binde- und Fettgewebe ausgekleidet. Für das gesamte Beckenbodenbindegewebe hat sich der Begriff »subperitoneales Bindegewebe« etabliert. In diesem Bindegewebe verlaufen Gefäße, Nerven- und Lymphbahnen für die Beckenorgane.

Der knöcherne Beckenausgang wird von den unteren Schambeinästen, den Sitzbeinästen und -höckern sowie der Steißbeinspitze begrenzt. Die Muskeln des Beckenbodens, die überwiegend oberhalb der Beckenausgangsebene entspringen und gelegen sind, schließen diesen unvollständig ab. (*H. Fritsch* 2003)
Die Beckenbodenmuskulatur wird durch mehrere übereinander liegende Muskelschichtungen gebildet. Eine wesentliche Bedeutung erhält das Diaphragma pelvis, das sich aus den Muskeln M. levator ani (gebildet aus M. pubococcygeus, M. iliococcygeus und M. puborectalis, umgeben von einer Fascie) und M. ischiococcygeus zusammensetzt.

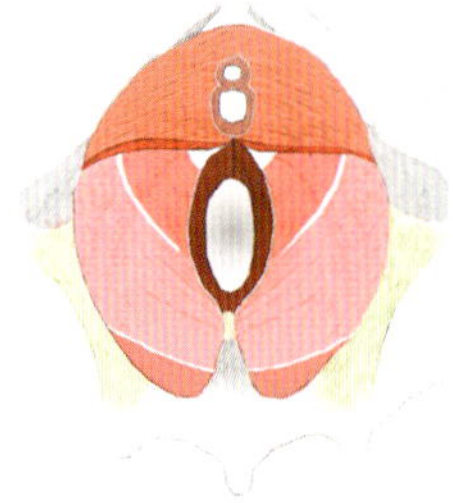

Es gibt geschlechtsspezifische Unterschiede beim knöchernen Becken. Die Beckenhöhle der Frau ist insgesamt weiter gestellt, die Sitzbeinhöcker liegen weiter auseinander als beim Mann. Bei der Frau liegen die das Levatortor umrahmenden Muskeln weiter auseinander, beim Mann sind die Muskeln insgesamt kräftiger ausgebildet und ergeben eher eine Trichterform infolge des schmaleren Beckens. Im weiblichen Becken ist die Beckenbodenmuskulatur häufig von Bindegewebe durchsetzt. (*Fritsch und Fröhlich* 1994)
Zu den Muskeln, die unter- bzw. außerhalb des Beckenbodens verlaufen und zusammenhängend mit der Beckenbodenmuskulatur arbeiten, gehört der quergestreifte M. sphincter ani externus.

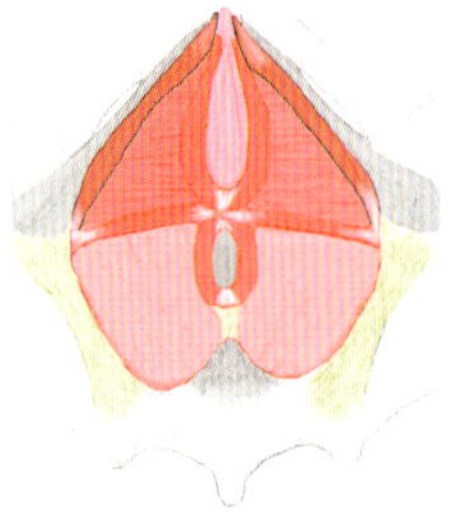

Die Innervation des Beckenbodens und der angrenzenden Muskelstrukturen, welche für die Kontinenz und die Durchblutung der Geschlechtsorgane verantwortlich sind, stellt sich äußerst komplex dar und ist noch nicht im Detail erforscht. Eine große Rolle spielt der N. pudendus, welcher die Muskeln am Beckenboden und die Haut des Anus, des Perineums und der äußeren Genitalien innerviert und als überwiegend somatischer Nerv aus dem Plexus sacralis entspringt (S_2–S_4). Treten Schädigungen des N. pudendus auf, wie z. B. Zerrung oder Dehnung bei der Geburt, kann dies zu Schmerzempfindungen führen. Dieser Nerv leitet somatische Schmerzen von außerhalb und innerhalb der Beckenhöhle und der Dammregion, wohingegen Organschmerzen über die vegetativen Nerven übermittelt werden.

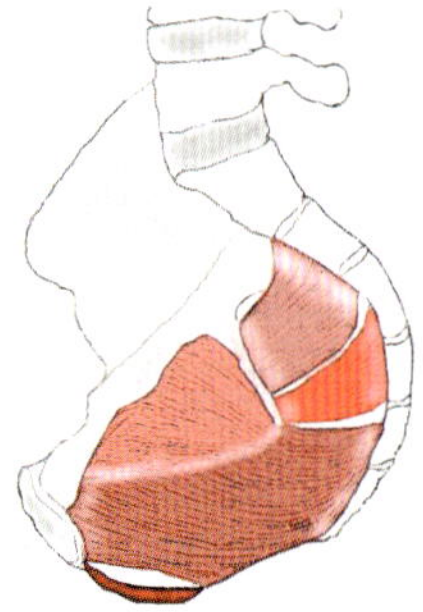

Der physiologische Alterungsprozess wirkt sich auch auf die Beckenbodenstruktur aus. Es kommt sowohl bei Männern und Frauen zu Funktionsänderungen des unteren Harntraktes. Hierzu zählen eine geringere Kapazität der Harnblase, schwächerer Harnfluss und vermehrtes nächtliches Wasserlassen infolge einer Umstrukturierung der glattmuskulären Anteile. Bei Frauen in postklimakterischen Zustand wurde die Tendenz zu schwächeren Detrusorkontraktionen nachgewiesen. Durch hormonelle Umstellung im Alter hypotrophiert der Muskelapparat allgemein. Bei Frauen, welche durch frühere Geburtstraumata Schädigungen am Beckenboden erlitten haben, können sich zusätzliche Funktionsverluste der Kontinenzorgane und des M. levator ani ergeben.

Funktion und Synergie des Beckenbodens

Häufig wird die funktionelle Einheit des Beckenbodens in ihrer Komplexität unterschätzt und noch nicht in alle Therapiemaßnahmen eingebunden.
Die Beckenbodenmuskulatur steht im Zusammenhang mit den angrenzenden Muskelstrukturen. Es ist eine innere Vernetzung mit der Gesäß-, vorderer und seitlicher Bauch- und Rückenmuskulatur gegeben und die Koordination von Beckenboden und Zwerchfell ist Voraussetzung für eine gute physiologische Muskeltätigkeit.

Wichtig beim Training der Beckenbodenmuskeln ist die Tatsache, dass diese aus unterschiedlichen Muskelfasertypen zusammengesetzt sind. Ca. 70% sind dem Typ I, den sogenannten slow-twitch Fasern und 30% Typ II, den fast-twitch Fasern zugehörig. Die slow-twitch Fasern sind für die Ausdauer des Muskels verantwortlich und werden für die tonische Unterstützung gebraucht. Fast-twitch Fasern sichern den dynamischen Verschluss der Beckenausgänge und werden bei plötzlichem Anstieg des intraabdominalen Druckes, wie z. B. beim Husten und Niesen aktiviert.

Optimale Muskelleistung hängt entscheidend von der adäquaten Durchblutung und mikrovaskulärer Verteilung des Blutes ab. Ist dies nicht gewährleistet, kann es im Beckenboden zu Gewebeschädigungen und Dysfunktion des Muskelverbundes kommen.
Stabilität, Mobilität und Kraft der Muskeln der Beckenregion können beim sitzenden »modernen« Lebensstil verloren gehen.

Beckenboden und Körperhaltung

Durch bestimmte Körper- und Sitzhaltungen wird die Relaxation der Beckenbodenmuskulatur erleichtert. Die aufrechte Haltung des Körpers ermöglicht den funktionellen Synergismus des Körperstammes mit seinen Extremitäten, dem Körperhöhlensystem und die Zusammenarbeit zwischen Zwerchfell, Bauchmuskulatur und Beckenboden. Beckenbodenübungen verstärken die Muskelaktivität und unterstützen die Kontinenz. In EMG-Untersuchungen wurde gezeigt, dass bei Frauen ohne Inkontinenz der Beckenboden in aufrechter Haltung einen höheren Ruhetonus hat und in dieser Position mehr Kraft entfalten kann. Bei krummer Körperhaltung findet auf Dauer ein Gewebeumbau in Bindegewebsstrukturen statt. Elastizität und Kontraktionsvermögen (= Muskelarbeit) werden reduziert. Zentrale Ziele eines optimalen Beckenbodentrainings sind sowohl die Aufrichtung des Thorax (Entfaltung der Muskulatur) in aufrechter Körperhaltung als auch die Entfaltung der Beckenbodenkraft. Dies ist auf Wahrnehmung und bewusstes Arbeiten mit dem »Muskelkorsett« der Rumpfmuskulatur aufgebaut. Die Muskulatur des Beckenbodens isoliert wahrzunehmen und in seiner Funktionalität einzusetzen, ist der erste Schritt.

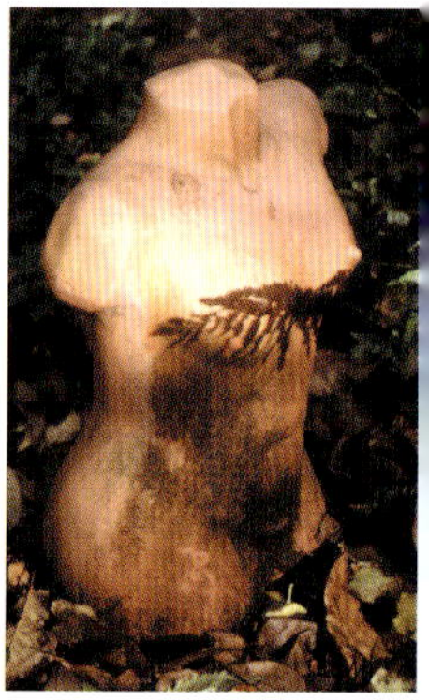

Beckenbodentraining

Bei einem optimalen Beckenbodentraining werden alle Muskelschichtungen so trainiert, dass eine Vernetzung mit dem Rücken, dem Bauch, den Hüften und den Oberschenkeln stattfindet. Eine gute Wahrnehmungsschulung ist beispielsweise:

Der Patient sitzt auf den Sitzbeinhöckern (Tuber ischiadicum) in aufrechter Haltung auf dem vorderen Rand eines Stuhles. Die Beine, Knie und Füße sind im 90° Winkel hüftbreit auseinander gestellt. Die Füße stehen parallel am Boden. Der Rücken wird langgezogen und die Wirbelsäule wird von unten nach oben aufgerichtet. Die Schultern sind entspannt und die Hände liegen locker den Oberschenkeln auf. In dieser Position werden die Sitzbeinhöcker, in einem für den Patienten möglichen Rhythmus, Richtung Damm bewegt und wieder entspannt. Der an- und entspannende Muskeltonus wird als Pulsation bezeichnet. Durch die Muskelanspannung öffnet sich das Becken nach oben, Kreuzbein und Lendenwirbel bekommen mehr Raum und richten sich auf. Die Hüftgelenke werden zusammen gezogen und der Gelenkspalt zwischen Oberschenkelkopf und Gelenkpfanne vergrößert sich. Dadurch wird die Versorgung der im Beckenboden verlaufenden Nerven-, Lymph- und Blutgefäße verbessert und die Organ- und Muskelfunktion erhöht. Der Beckenboden nimmt an Stabilität, Flexibilität und

Kraft zu. Haltungsschäden können ausgeglichen werden. Auch ein positiver Einfluss auf das Endokrinum und die Funktion der Drüsen ist zu verzeichnen. Beispielsweise können bestehende Menstruationsbeschwerden reduziert oder sogar behoben werden.

Die Voraussetzung zur Erzielung des bestmöglichen Therapieerfolgs basiert auf einer intensiven Zusammenarbeit zwischen Arzt und Therapeut. Dazu gehören eine detaillierte Diagnose, die Abstimmung des Therapieverlaufs und begleitende ärztliche Untersuchungen. Erst bei vorliegendem ärztlichen Befund kann der Therapeut seine unterstützenden Maßnahmen zielgerichtet zum Wohle des Patienten einsetzen.
Ebenso wichtig ist der Aufbau einer Vertrauensbasis zwischen Patient und Therapeut. Oft fällt es dem Patienten schwer, sich mitzuteilen, da sich Problem und Therapieangebot im Intimbereich abspielen.

Mögliche Ursachen für die Beckenbodenschwäche können u.a. sein: Geburtstraumata, Operationen (z. B. Entfernung von Gebärmutter oder Prostata), Missbrauch, Ängste sowie neurologische Erkrankungen. Diese Ursachen können zu verschiedenen Formen der Harn- und Stuhlinkontinenz führen.
Je nach Schweregrad der Erkrankung oder Operation ist bei Patienten die Wahrnehmung des Beckenbodens unterschiedlich. Um einen wirksamen und lang anhaltenden Erfolg zu erzielen, bedarf es einer intensiven Zusammenarbeit und regelmäßiger Teilnahme an den Übungsstunden. Dort werden Fragen geklärt, Übungen der jeweiligen Symptomatik angepasst, wiederholt und gegebenenfalls aufgefrischt. Somit kann der Patient die Aktivitäten des Beckenbodens in alltägliche Belastungssituationen wie z. B. Lachen, Husten, Niesen, Heben, Treppensteigen, Tragen, Pressen, integrieren. Patienten im höheren Lebensalter benötigen eine besonders intensive und verständliche Begleitung der Therapie.

Weitere Therapieformen

Fußreflexzonenmassage

Der Körper spiegelt sich mit all seinen Strukturen, Gelenken, Organen, Hormondrüsen usw., unterteilt in verschiedenen Zonen, in den Füßen wieder. Mit dieser speziellen Methode kann man die Selbstheilungskräfte des Körpers aktivieren und unterstützen. Eine Reizsetzung an den Zonen führt über einen sensorischen Reiz am Rückenmark zum Erfolgsorgan (PSR = polysynaptischer Reflex). Durch Einsatz der Fußreflexzonenmassage kann die Aufgabe des Beckenbodens einschließlich der angrenzenden Organe unterstützt und gestärkt werden. Durchblutung, Innervation und Lymphfluss werden angeregt und zudem die ableitenden Harnwege in ihrer Funktion gefestigt. Diese Therapie ist vor allem dann von Vorteil, wenn der Patient starke Schmerzen hat und es ihm noch nicht möglich ist, Beckenbodenübungen selbstständig durchzuführen. Sie kann auch zusätzlich als unterstützende Behandlung angewandt werden.

Elektrostimulation
Die Anwendung von elektrischem Strom bei Beckenbodendysfunktion kann dazu beitragen, die bewusste Mobilisierung der Muskulatur des Beckenbodens zu schulen, sei es nach einem operativen Eingriff, nach schwerem Trauma oder durch andere erworbene oder angeborene Nerven- und Muskeldefekte am Beckenboden und im Schließmuskelbereich des Harn- und Verdauungstraktes. Hier wird mit Stromabgabe an den Beckenbodenmuskel eine reflektorische Muskelanspannung produziert, da die Membran der Muskelzelle ohne jegliche Anstrengung des Patienten depolarisiert wird. So kann der Patient eine Muskelkontraktion spüren, ohne sie selber aktiv durchgeführt zu haben.
Die auf dem Markt befindlichen Geräte zur Muskelstimulation können in folgenden Parameter variieren: Wellenform, Stromstärke, Pulsweite, Pulsfrequenz, Anstiegssteilheit des Impulses und im zeitlichen Schema des An- und Abschaltens. Wichtig ist eine sorgsame Indikationsstellung, fachgerechte Einweisung und Anwendungsschulung. Zu den Kontraindikationen zählen das Tragen eines Herzschrittmachers, aktive Infektionen der Scheide oder des Harntraktes, aktive Karzinome in diesem Bereich und eine Schwangerschaft. Vorsichtiger Einsatz von Elektrostimulation ist angezeigt bei sensorischen Defiziten, Metallimplantaten, Schleimhautdefekten wie z. B. Fissuren sowie während der Menstruation.

Biofeedback
Viele Patienten verstehen die Ausrichtung und Funktion der Beckenbodenmuskulatur nicht und haben deshalb anfangs Schwierigkeiten, ihre Muskeln richtig anzuspannen und zu entspannen. Mit Hilfe von Biofeedback können sich Patienten diese Muskeln vorstellen und sofort Veränderungen erkennen, wenn sie mit diesen aktiv arbeiten. Mittels Oberflächenelektroden oder durch Einführen von vaginalen oder analen Sonden (s. Foto re.) kann die muskuläre Arbeit des Beckenbodenmuskels überwacht und dokumentiert werden. Diese Sonden messen die Veränderungen des Druckgradienten, welche sich aus veränderter Aktivität der Beckenbodenmuskulatur

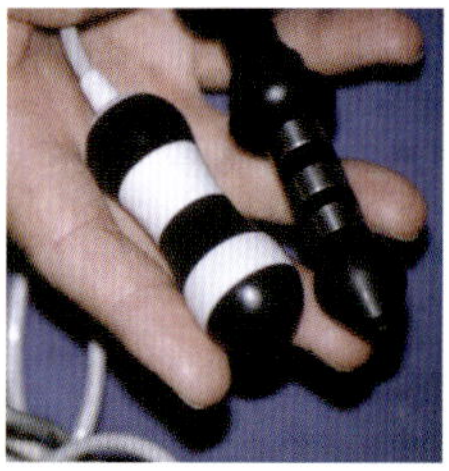

ergeben. Diese darzustellen kann in Form von Tönen, Lichtbalken, digitalen Angaben oder als graphische Darstellung am Computerbildschirm für den Patienten hilfreich sein. Durch das Anlegen von EMG-Oberflächenelektroden auf den Bauch kann eine übermäßige Einbeziehung der Bauchmuskeln beim Beckenbodentraining sichtbar gemacht werden. Dies dient auch zum Trainieren von Synergien zwischen Abdomen und Becken.

Vaginalkegel

Es werden kegelförmige Gewichte in die Scheide mit zunehmendem Gewicht (variieren von 20 bis 70 g) eingeführt, damit der Beckenboden gegen Widerstand in verschiedenen Ausgangsstellungen trainiert werden kann. Diese Kegel fördern die Eigenempfindung der Beckenbodenmuskeln und unterstützen so die bewusste Mobilisierung der Muskulatur. Viele Frauen empfinden allerdings das »Herausfallen« eines solchen Kegels bei den Übungen eher als unangenehm.

Zusammenfassung

Grundsätzlich können sowohl das Beckenbodentraining als auch das Training mit Vaginalkonen die Kontinenz fördern. Allerdings ergaben Vergleichsstudien von Interventionsgruppen (*Herbison und Mantle* 2005, *Cammu und van Nylen* 1997, Bo et al. 1999) einen signifikanten Anstieg der Muskulatur in der Beckenbodentrainingsgruppe gegenüber der Gruppe der Elektrostimulation und den Vaginalkonen. Auch die Erhebung des Urinverlusts im Vorlagengewichtstest zeigte, dass die Gruppe mit dem Beckenbodentraining weniger Urin verliert als die Teilnehmerinnen der Elektrotherapie- und Vaginalkonengruppe. Die Autoren kommen zu dem Schluss, dass Beckenbodentraining der Elektrotherapie und dem Training mit Vaginalkonen zur Kontinenzförderung bei Frauen mit Belastungsinkontinenz überlegen ist. In einigen Untersuchungen weisen die Frauen zudem eine geringe Toleranz gegenüber den Vaginalkonen auf. Sie empfinden sie beispielsweise als unangenehm und zeitaufwendig in der Anwendung

Untersuchungsethoden wie z. B. das EMG des Beckenbodens sind nicht in allen Kliniken etabliert. Empfehlenswert bei benignen Beckenbodenstörungen ist es, sich an ein Beckenbodenzentrum überweisen zu lassen, da dort eine größtmögliche Rehabilitation durch umfassende interdisziplinäre Diagnostik und Therapie erzielt wird.

Maria-Anna Wellnhofer & Karola Hahlweg

9. Harndrainage: Handling & Hygiene

Pflegekonzepte bei Patienten mit instrumentellen Harnableitungen

Die instrumentelle Harnableitung nimmt im Rahmen der Versorgung Inkontinenter eine zentrale Rolle ein. Sie fasst solche Methoden der Harndrainage zusammen, bei denen der Harn mit Hilfe spezieller Systeme aus der Blase abgeleitet bzw. am äußeren Genital aufgefangen wird.
Die Flut der Produkte und die Gemeinsamkeit bestimmter Systeme mit bestimmten Komplikationen legt es nahe, die nachfolgende Einteilung vorzunehmen:

1. Externe Harnableitung
2. Transurethrale Harnableitung
3. Perkutane Harnableitung

1. Externe Harnableitung

Bei der externen Harnableitung gelangt der Harn auf natürlichem Weg an die Körperoberfläche. Ein Auffangsystem, das am äußeren Genital angebracht wird, fängt die Ausscheidung auf und leitet diese in einen separaten Drainagebeutel. Beim Mann kommt das Kondomurinal zur Anwendung, der Harnkollektor ist ein Auffangsystem für die Frau.

Kondomurinal

Das Kondomurinal gehört zu den historisch ältesten Ableitungssystemen. Bei der Herstellung von Urinalen unterscheiden sich zwei Materialien: Der Naturkautschuk Latex sowie synthetisch produzierte latexfreie Stoffe. Latex besitzt zwei Eigenschaften, die für diese Form der Harndrainage ganz wichtig sind: Es ist undurchlässig für Urin und passt sich zudem aufgrund seiner hohen Elastizität sehr gut unterschiedlichen Dehnungsanforderungen an. Im Hinblick auf allergische Hautreaktionen, die bei der Anwendung von Latexurinalen auftreten können, bieten die meisten Hersteller auch Kondome aus latexfreien Materialien an.

Von Bedeutung sind zudem spezielle Urinale, die sich den schwierigen anatomischen Verhältnissen bei retrahiertem Penis anpassen. In diesem Fall hat sich der penduläre Anteil des Penis weitgehend in das Fettgewebe des Schamhügels zurückgezogen und stellt sich deshalb nur sehr kurz dar. Dementsprechend knapp bemessen ist das Hautareal, das als Haftfläche zur Fixierung des Urinals zur Verfügung steht.

Eine gibt mehrere Methoden, das Kondomurinal am Penis zu befestigen. Drei Verfahren haben sich durchgesetzt:

- Selbsthaftende Urinale, bei denen die Innenseite bereits mit Haftmaterial versehen ist
- Urinale, die mit einem separaten Haftstreifen am Penis befestigt werden
- Urinale, die mit einem Kleber aus der Tube zu fixieren sind.

Ausgerissene Schamhaare an der Haftfläche des Urinals bei unsachgemäßer Vorbereitung

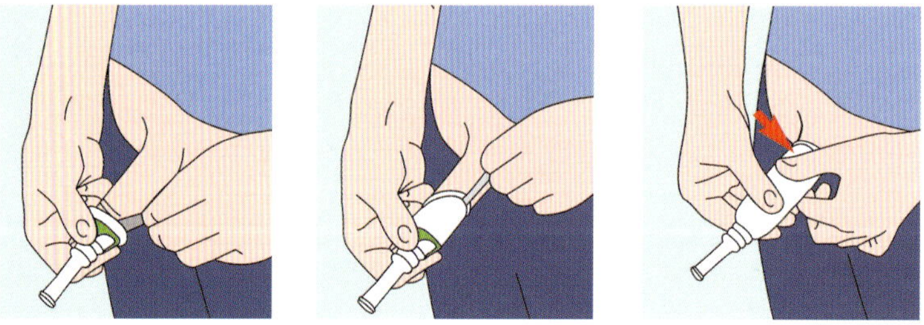

Anbringen eines 1-teiligen Kondomurinals

Nach dem Anbringen soll das Urinal möglichst bis zu 24 Stunden haften. Die Ausdehnung auf längere Zeiträume ist aus hygienischer Sicht nicht zu empfehlen.

Vor der erstmaligen Anwendung ist die richtige Größe des Urinals zu ermitteln. Von einigen Herstellern werden hierfür geeignete Schablonen und Maßbänder mitgeliefert. Dabei muss beachtet werden, dass ein Urinal weder zu eng noch zu weit sein darf. Ist es zu eng gewählt, treten Missempfindungen oder Schmerzen auf, ist es zu weit, geht der Hautkontakt rasch verloren und es tritt Urin aus.

Bei der Anwendung von Kondomurinalen muss immer eine Versorgung mit einem Drainagebeutel berücksichtigt werden, die der aktuellen Lebenssitu-

Fixierung eines Kondomurinals mit Haftstreifen (Sauer Continence)

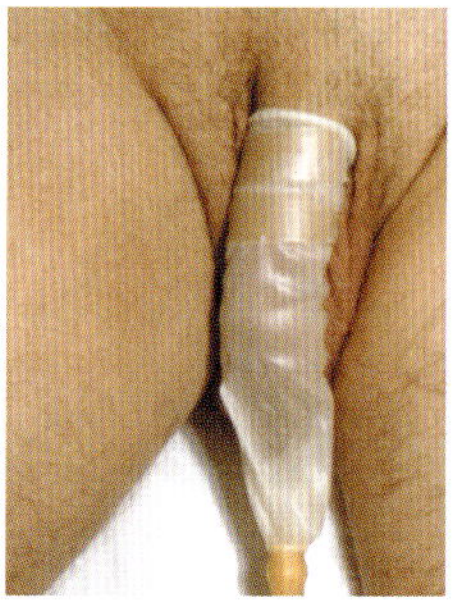

ation des Betroffenen Rechnung trägt. Überwiegend bettlägerige Personen sind am besten mit einem großvolumigen Bettbeutel versorgt.
Für Menschen, die sich überwiegend auf den Beinen befinden, sind Beinbeutel am Ober- oder Unterschenkel geeignet. Den Aktivitäten von Rollstuhlfahrern werden an die sitzende Position angepasste, speziell geformte Rollstuhlbeinbeutel gerecht (s. a. Kapitel 10)

Harnkollektor

Der Harnkollektor ist ein Auffangsystem, das speziell die anatomischen Verhältnisse im Genitalbereich der Frau berücksichtigt. Es handelt sich um eine einteilige Versorgung, bestehend aus einer hydrokolloiden Adhäsivplatte und einem aufgeschweißten Beutel. Die Adhäsivplatte weist eine vorgestanzte ovale Öffnung auf, die den Vulvabereich so dicht umschließen soll, dass Urin freie Hautpartien nicht benetzt. Der Beutel besitzt an seinem unteren Ende ein Ablaufventil, das je nach Bedarf verschlossen oder mit einem geschlossenes Drainagesystem verbunden werden kann.
Der Anwendungsbereich des Produkts wäre primär in der geriatrischen Pflege zu suchen. Die Indikation zur Anwendung ist gegeben, wenn bei einer Frau Harninkontinenz und ein hohes Maß an Immobilität durch dauerhafte Bettlägerigkeit zusammentreffen. Die Anwendung eines Harnkollektors setzt voraus, dass der Vaginalbereich und der Schamhügel vollständig von der Behaarung befreit wird. Die Fixierung des Systems erfolgt an der liegenden Patientin. Dabei muss vor allem im Dammbereich sehr sorgfältig vorgegangen werden, weil hier die Klebefläche naturgemäß sehr klein ist. Gerade an dieser Stelle kommt es durch Abscherkräfte, z. B. im Rahmen mobilisierender Maßnahmen, am ehesten zur Leckage. Zusätzliche Dichtigkeit lässt sich eventuell durch die Anwendung von Hautschutzpaste auf dem Rand der ausgestanzten Öffnung erzielen.

2. Transurethrale Harnableitung

Die transurethrale Harnableitung umfasst die Methoden, bei denen intermittierend oder dauerhaft der Harn aus der Blase per Katheterismus über die Harnröhre abgeleitet wird. Hierzu gehören der intermittierende Katheterismus sowie die dauerhafte Harnableitung über einen Blasenverweilkatheter.

Intermittierender Katheterismus

Die Entleerung der Blase erfolgt transurethral intermittierend durch einen Einmalkatheter, weil die spontane Entleerung nicht möglich ist oder nach

Miktion große Restharnmengen bestehen. Diese Methode der Harnableitung berücksichtigt gezielt ganz elementare Bedürfnisse der Betroffenen. Geht es doch gerade darum, Mobilität und Sozialkontakte zu erhalten und zu fördern. Auf der Toilette am Arbeitsplatz, aber auch unterwegs, in geeigneten Sanitärbereichen soll die Blasenentleerung möglich sein.

Der intermittierende Katheterismus, meist als Selbstkatheterismus, aber auch als Fremdkatheterismus durchgeführt, hat sich bei Betroffenen mit neurogener Blasenfunktionsstörung oder Restharnbildung weltweit als Standardtherapie durchgesetzt. Etwa 70% aller Patienten mit neurogener Blasenfunktionsstörung können mit dieser konservativen Therapie erfolgreich behandelt werden. Eine lebenslange Versorgung ohne Gefährdung der Nierenfunktion und ohne Einschränkung der Lebenszeit ist heute möglich.

Für eine lebenslange Versorgung werden an Katheter für den intermittierenden Einmalkathetrismus spezielle Anforderungen gestellt. In der Leitlinie der DGU »Der intermittierende Einmalkathetrismus bei neurogener Blasenfunktionsstörung« wird hierzu ausgeführt:

> »Grundvoraussetzung für diese Form der Blasenentleerung sind Katheter und Kathetersysteme zum einmaligen Gebrauch, die in unterschiedlicher, speziellen Bedürfnissen angepasster Form im Handel erhältlich sind und als ableitende Inkontinenzprodukte geführt werden. Katheter, die bei neurogener Blasenfunktionsstörung als Einmalkatheter Verwendung finden, müssen bestimmte Voraussetzungen erfüllen: **Spitze** und **Katheteraugen** dürfen keine scharfen Kanten haben, die **Verpackung** muss steril, leicht zu öffnen und leicht zu entsorgen sein. Der Katheter sollte wegen der Gefahr einer Latexallergie vor allem bei Patienten mit Myelomeningocele (MMC) **latexfrei** sein. Die Herstellerfirmen sollten die Gleitfähigkeit ihres Produktes nachweisen, da die **Gleitfähigkeit** eine besondere Bedeutung für die Risikominimierung (sekundäre Strikturbildung) beim intermittierenden Katheterismus hat. Dies trifft sowohl für Katheter mit hygroskopischer Beschichtung als auch auf solche mit zusätzlicher Gleitmittelanwendung zu.« (AWMF – Leitlinienregister Nr. 043/043 Juni 2005)

Dieser Leitlinie folgend werden Einmalkatheter in verschiedene Gruppen eingeteilt:

1. Einfachkatheter, die zum einmaligen Katheterisieren eines Patienten angewendet werden, z. B. bei einem Harnverhalt oder zur Uringewinnung:

Diese Katheter sind wegen ihres hohen Traumatisierungspotentials **nicht** geeignet für Patienten, die sich dauerhaft mehrmals täglich katheterisieren müssen. Sie haben in der Regel einfach ausgestanzte scharfkantige Katheteraugen, häufig hochgezogene harte Spitzen. Die Gleiteigenschaften sind nicht untersucht. Teilweise sind diese Produkte so glatt, dass das Gleitmittel keine Haftung hat und dann ein hoher Reibungswiderstand zur Traumatisierung der Urethralschleimhaut führt. Diese Katheter können meist nicht aus der Hülle in die Harnröhre eingeführt werden, sondern müssten bei gefordertem aseptischen Vorgehen mit sterilen Handschuhen oder steriler Pinzette eingeführt werden. Diese notwendigen Hilfsmittel verursachen ihrerseits zusätzliche Kosten. Derartige Billigprodukte sind aufgrund ihrer mangelhaften technischen Ausstattung **für Langzeitpatienten nicht geeignet.**

2. **Atraumatische Katheter,** die für das **wiederholte** Katheterisieren über lange Zeiträume geeignet sind:
Besondere Merkmale dieser Katheter sind eine atraumatische Spitze, abgerundete Katheteraugen ohne scharfe Kanten, und eine Oberfläche, die zusammen mit den speziellen Gleitsubstanzen ein Optimum an Gleitfähigkeit besitzt. Die Hersteller derartiger Katheter müssen den Nachweis über die besondere Gleitfähigkeit ihrer Katheter führen. Die Verpackung des Katheters sollte so beschaffen sein, dass ein Einführen ohne Berührung und ohne zusätzliche Handschuhe aseptisch erfolgen kann. Diese Katheter sind zum Langzeitgebrauch unter überwiegend häuslichen Bedingungen geeignet.

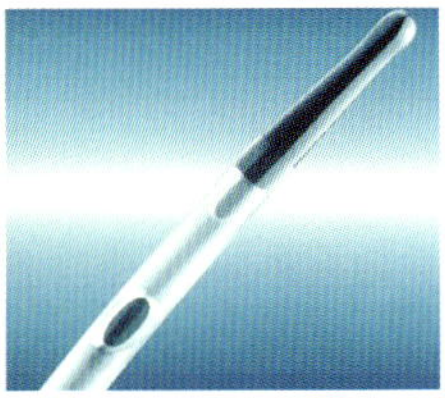

Katheter mit verstärkter Spitze für den intermittierenden Katheterismus (Medical Service)

3. **Kathetersysteme** zur Durchführung des aseptischen intermittierenden Katheterismus **mobiler Patienten:**
Gedacht sind diese Systeme für Patienten, die sich nicht überwiegend in ihrer häuslichen Umgebung aufhalten. Dies trifft sowohl für Berufstätige als auch für Patienten zu, die häufig unterwegs sind, z. B. Mütter, die auf Grund ihrer familiären Pflichten Mobilität benötigen, Schulkinder etc. Derartige Systeme enthalten Kathetermaterialien der Gruppe 2. Sie sind so ausgestattet, dass die notwendigen Gleitsubstanzen steril in dieses System integriert sind. Auch Auffangbeutel können in einzelnen Systemen erforderlich sein, um den Einsatz an Orten zu ermöglichen, an denen keine Ablaufmöglichkeit für den Urin vorhanden ist. Dieses System ist zum Langzeitgebrauch bei überwiegend mobilen Patienten geeignet.

Die Produkte der Gruppe 3 können je nach individuellem Bedarf mit Produkten der Gruppe 2 kombiniert werden. Es kann z. B. ausreichen, am Morgen und am Abend unter häuslichen Bedingungen einen Katheter der Gruppe 2 zu verwenden und während des Tages bei Aufenthalt außerhalb des häuslichen Bereiches Produkte aus der Gruppe 3. (AWMF – Leitlinienregister Nr. 043/043 Juni 2005)

Wo liegen die Vorteile des intermittierenden Selbstkatheterismus?
Bei diesem Verfahren handelt es sich um eine der sichersten Entleerungsmethoden der Harnblase, da Komplikationen am oberen und unteren Harntrakt drastisch reduziert bzw. vermieden werden. Die Rate an Harnwegsinfekten wird signifikant reduziert, da ein retrogrades Keimwandern minimiert ist. Für den Betroffenen besteht der Vorteil im relativ einfachen Erlernen der Methode sowie psychischer und sozialer Freiheit und damit insgesamt einem immensen Gewinn an Lebensqualität.

Die primären therapeutischen Ziele sind:
- Restharnfreie Blasenentleerung
- Physiologische intravesikale Drücke
- Prophylaxe und Rehabilitation von Sekundärveränderungen am Harntrakt
- Kontinenz unter hygienisch und sozial akzeptablen Bedingungen.

Indikationen für den intermittierenden Katheterismus:
- Erworbene Querschnittlähmung nach Unfällen
- Spina bifida
- Myelitis
- Gutartige und bösartige Neubildungen wie Meningiome oder Myelome
- Degenerative Erkrankungen des Rückenmarks und seiner Blutgefäße
- Multiple Sklerose
- Neuropathien
- Iatrogene Schäden durch Injektion in den Rückenmarkkanal, durch Operationen oder Bestrahlung
- u. a. m.

Kontraindikationen sind:
- Begleitende Harnröhrenverletzung
- Begleitende Blasenverletzung
- Harnröhrenstriktur
- Akute operative Eingriffe.

Anleitung und Materialauswahl

Einführhilfe bei eingeschränkter Handfunktion (Sauer Continence)

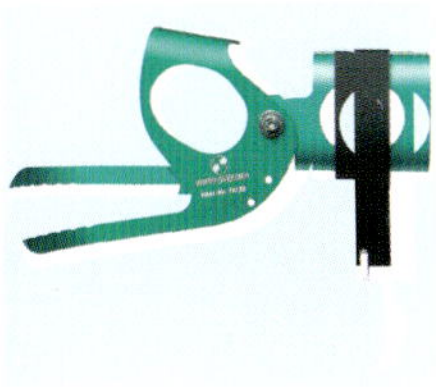

Um den intermittierenden Katheterismus erfolgreich durchzuführen, ist die Motivation und die Lernbereitschaft seitens des Betroffenen ein elementares Grunderfordernis. Pflegekräfte tragen hier eine besondere Verantwortung, da sie in der Regel die Anleitung des Betroffenen bzw. eines Angehörigen übernehmen werden. Vor der Durchführung des Selbstkatheterismus ist eine Beurteilung der Arm- und Handfunktion notwendig. Der Betroffene muss in der Lage sein, die Kleidung, soweit erforderlich, zu entfernen und den Katheter problemlos einzuführen. Liegen Einschränkungen vor (z. B. bei Tetraplegikern), kann man auf Einführhilfen zurückgreifen.

Hollister Incare Advance Plus®

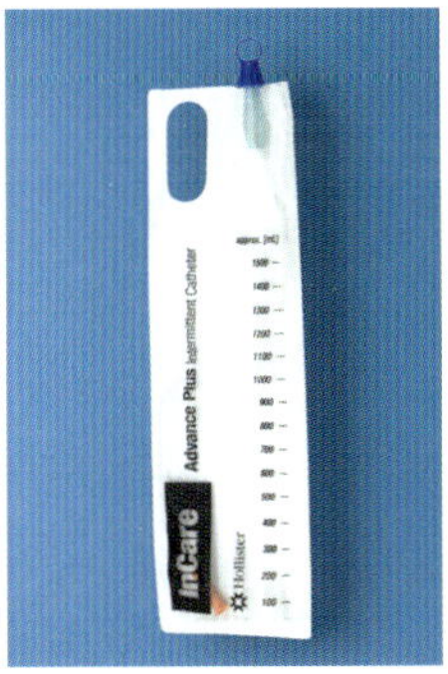

Das Kathetersystem wird entsprechend dem Mobilitätsgrad ausgewählt. Für Betroffene, die sich beispielsweise auf einer Toilette katheterisieren können, benutzt man einzeln steril verpackte Katheter. Besonders interessant sind hydrophil beschichtete Katheter, da sie kein separates Gleitmittel erfordern und somit hohe Reibungswiderstände in der Harnröhre vermeiden.

Betroffene, die sich vermehrt außer Haus katheterisieren müssen und nicht auf entsprechend behindertengerecht gestaltete Toiletten zurückgreifen können, sollten ein Komplettsystem benutzen.

Zur sicheren Durchführung des Selbstkatheterismus der Frau empfiehlt sich die Verwendung eines Oberschenkelspiegels (s. Abb.). Sollten motorische oder geistige Defizite einen Selbstkatheterismus nicht ermöglichen, muss nicht auf dieses Verfahren verzichtet werden. Die Aufgabe wird nun von der betreuenden Person, d. h. Pflegepersonal oder Angehörigen, übernommen. Für die häusliche Versorgung, gerade wenn sie von Angehörigen übernommen wird, ist die Anleitung von essentieller Bedeutung, da jeder unsachgemäße Katheterismus Verletzungen oder Infektionen zur Folge haben kann. Unter dem Gesichtspunkt, dass der intermittierende Katheterismus das sicherste instrumentelle Harnableitungsverfahren darstellt, muss die gründliche Anleitungszeit investiert und garantiert werden.

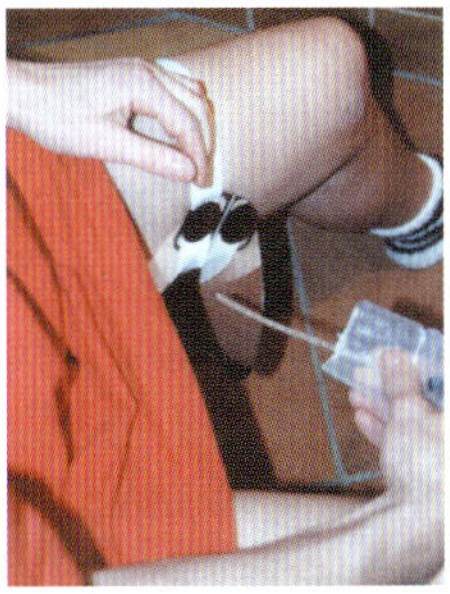

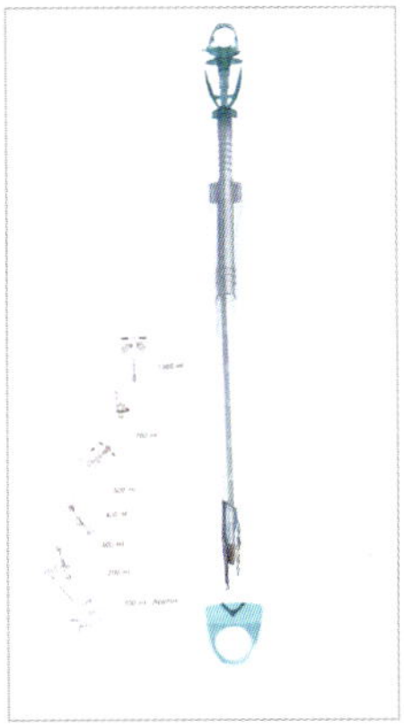

SpeediCath Complete® Komplettsystem

Für die Durchführung des intermittierenden Katheterismus sind einige Unterschiede bezüglich Selbst- und Fremdkatheterismus, sowie klinischer und außerklinischer Bereich zu beachten. Der Intermittierende Einmalkatheterismus sollte grundsätzlich aseptisch durchgeführt werden, um das

Infektionsrisiko so gering als möglich zu halten. In der Vergangenheit gab es gerade zur Durchführung im häuslichen Bereich kontroverse Diskussionen hinsichtlich der Frage, ob *aseptisch* oder lediglich *sauber* katheterisiert werden solle. Die Leitlinie der DGU sagt klar:

> »Da die Blase beim Gesunden keimfrei ist, wurde im deutschsprachigen Raum in den letzten 15 Jahren zunehmend der intermittierende Selbstkatheterismus **aseptisch** durchgeführt. Der aseptische Katheterismus verwendet ausschließlich sterile Utensilien; es werden jedoch im Gegensatz zum sterilen Katheterismus auf sterile Abdeckungen, sterile Handschuhe und Mundschutz verzichtet. Dadurch ist der aseptische Katheterismus weniger zeit-, material- und kostenaufwändig als der sterile Katheterismus. Die zur Verfügung stehenden Hilfsmittel für den hygienischen und den aseptischen Gebrauch sind kostengleich, der Aufwand ist identisch. Umfangreiche retrospektive Analysen haben gezeigt, dass man mit dem aseptischen Selbstkatheterismus **ohne antibiotische Prophylaxe** die Infektinzidenz bis auf etwa einen Infekt pro Jahr reduzieren kann. Diese Ergebnisse belegen, dass der aseptische Selbstkatheterismus dem so genannten sauberen Selbstkatheterismus deutlich überlegen ist. Auf Grund von Datenlage und Expertenmeinung hat sich der aseptische intermittierende Katheterismus bzw. Selbstkatheterismus heute in ganz Europa durchgesetzt.« (Leitlinie der Deutschen Gesellschaft für Urologie, 1998, Guidelines der European Association of Urology , EAU, 2003). (AWMF – Leitlinienregister Nr. 043/043 Juni 2005)

Für die Durchführung des Einmalkatheterismus als Fremdkatheterismus wird in klinischen Einrichtungen generell ein Katheterset benötigt, das der »Empfehlung zur Prävention und Kontrolle katheterassoziierter Harnwegsinfektionen« des Robert Koch Institutes entspricht. Für stationäre Einrichtungen ist im Rahmen der Infektprävention das Tragen eines separaten Schutzkittels zu empfehlen. Fremdkatheterismus außerhalb klinischer Einrichtungen kann durch Angehörige, z. B. Eltern von Kindern mit Spina bifida, aber auch durch ambulante Dienste erbracht werden.
Ist gewährleistet, dass durch die versorgende Person nur dieser einzelne Betroffene versorgt wird, kann auf das Tragen eines separaten Schutzkittels und je nach verwendetem Kathetersystem auf ein Katheterset verzichtet werden. Mitarbeiter von ambulanten Versorgungseinrichtungen versorgen mehrere Betroffene, die örtlich von einander getrennt sind. Die Gefahr der Keimverschleppung besteht bei dieser Versorgungsoption ebenfalls. Hier muss identisches Vorgehen wie im klinischen Bereich gefordert werden.

Information des Betroffenen

Dem Betroffenen muss zur Prävention von Harnwegsinfektionen unbedingt die Bedeutung des aseptischen Katheterismus erläutert werden. Neben sterilem Arbeitsmaterial erfordert der ISK eine Schleimhautdesinfektion mit entsprechenden Schleimhautdesinfektionsmitteln. Katheterintervalle, in der Regel 4 bis 6 mal täglich, sollen unbedingt eingehalten werden. Beim Erwachsenen darf hierbei ein maximales Blasenvolumen von 500 ml nicht überschritten werden, da es sonst zu Komplikationen am oberen Harntrakt kommen kann. Wurde bei spastischen Störungen der Blasenfunktion eine anticholinerge Begleitmedikation angeordnet, so ist diese zeitlich exakt einzuhalten, um Wirkspiegelschwankungen zu vermeiden. Dies führt zur Vermeidung von Inkontinenzepisoden. Grundsätzlich ist auf eine ausreichende Flüssigkeitszufuhr von 2 bis 2,5 Liter zu achten.

Für Betroffene ist die Einhaltung regelmäßiger Kontrolluntersuchungen ein Sicherheitsfaktor. Falls mit dem behandelnden Arzt keine anderen Absprachen getroffen wurden, gilt nach Empfehlung der Deutschen Gesellschaft für Urologie eine zweimonatige Urinkontrolle, eine halbjährige Sonographiekontrolle, eine jährliche klinische Untersuchung und nach der Erstrehabilitation spätestens alle 2 Jahre eine Video-Urodynamik als Standard.

Die Leitlinien zur Rehabilitation der Blase bei Querschnittlähmung finden Sie auf der Homepage der Arbeitsgemeinschaft der Wissenschaftlichen Medizinischen Fachgesellschaften.

1. Klebepunkt an der Katheterverpackung

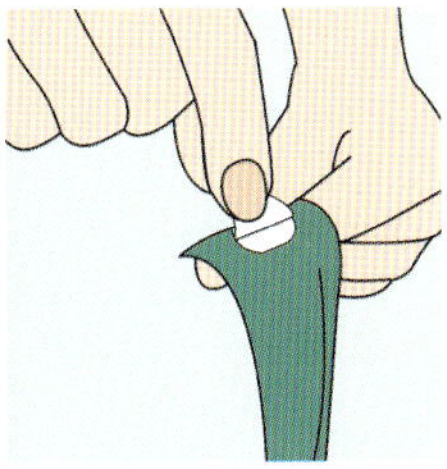

Grundsätzliches für das intermittierende Selbstkatheterisieren

Um eine Verunreinigung des Materials auszuschließen, sollte auch die Ablagefläche für das Material desinfiziert bzw. gründlich gereinigt werden. Die Katheter müssen steril und einzeln verpackt sein. Zur Fixierung an der Wand bzw. dem Rollstuhl sollten Klebepunkte vorhanden sein.

Für eine gründliche Intimpflege ist Sorge zu tragen. Sollten bei der Vor- und Nachbereitung des intermittierenden Selbstkatheterismus keine Waschgelegenheiten zur Verfügung stehen, empfiehlt sich die Benutzung von einzeln verpackten Feuchttüchern.

2. Befestigter Katheter

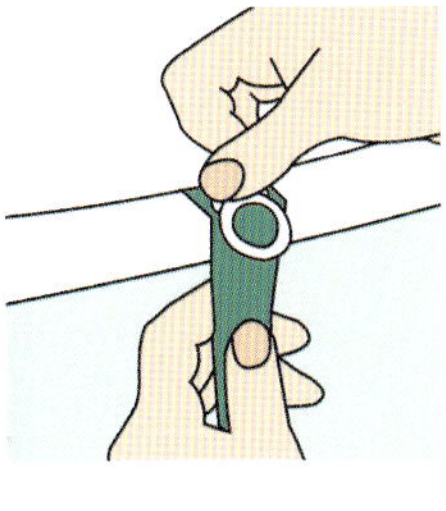

Die Kompressen zur Desinfektion der Harnröhrenöffnung sollten am besten nur an einer Ecke angefasst werden. Eine Sprühdesinfektion ist zu empfehlen. Beim Entnehmen und Halten des Katheters ist darauf zu achten, dass die Teile, die in die Harnröhre eingeführt werden, nicht mit unsterilen Gegenständen und Körperteilen in Berührung kommen. Wird einmal die Harnröhrenöffnung verfehlt, muss ein neuer Katheter verwendet werden, um Infektionen zu vermeiden.

Auf die detaillierte Beschreibung des Handlings wird an dieser Stelle verzichtet, da es inzwischen von mehreren Herstellern sehr gute Ratgeber mit entsprechenden Anleitungen gibt (siehe Anhang).

Intermittierender Einmalkatheterismus im Kinder- und Jugendalter
Kinder und Jugendliche, die mit der Störung der Funktion der Harnblase konfrontiert sind, erleben das Entleeren der Harnblase in unterschiedlichen Lebensaltern völlig verschieden. Bedingt z. B. durch Spina bifida, wird die Harnblase heute bereits im Säuglingsalter mit einem Einmalkatheter entleert. Die Auseinandersetzung mit dem Katheter gehört hier zur Kindesentwicklung, wie das Erlernen der Blasenkontrolle ohne Katheter. Der Verlust der Blasenkontrolle durch einen Unfall stellt Kinder und Jugendliche vor eine noch größere Herausforderung, da die neue Situation zunächst verarbeitet werden muss.

Lernstufen des Einmalkatheterismus
Unabhängig von der Ursache, die das Entleeren der Blase mit einem Einmalkatheter erforderlich gemacht hat, wird ein Kind spätestens zum Beginn der Schulzeit mit der täglichen selbstständigen Durchführung konfrontiert. Die Entleerung der Blase, anfangs von den Eltern durchgeführt, weckt mit Sicherheit das Bedürfnis, es einmal selbst zu probieren. Dies ist ein wichtiger Schritt, der aber gut vorbereitet sein will:
Anfangs erklären die Eltern während des von ihnen durchgeführten Katheterismus geduldig jeden einzelnen Vorgang. Im nächsten Schritt erfolgt ein selbstständiges Handling des Kindes unter schrittweiser Anleitung durch die Eltern. Als folgende Stufe sagt das Kind vor der eigentlichen Handlung dem Elternteil, welcher Anwendungsschritt durchgeführt werden soll.
Ist hier Sicherheit erreicht, ist ein selbstständiges Durchführen möglich. In der Wohnung hat in der Regel alles seinen festen Platz, was letztlich dafür sorgt, dass Probleme in der Handhabung eine Ausnahme bilden. In der Schule oder bei Ausflügen außerhalb der Wohnung ist es ratsam, sich im Vorfeld über Toiletten und deren Ausstattung zu informieren. Dieser Punkt ist sehr wichtig für die Auswahl des zu verwendenden Katheters.

Welcher Katheter ist der Richtige?
Die Frage muss jeder für sich beantworten. Es gibt heute eine Vielzahl von Kathetern, die an den Lebensbedürfnissen der Anwender orientiert sind. Geklärt werden muss primär, ob ein Katheterisieren in die Toilette möglich ist. In diesem Fall verwenden weibliche Benutzer einen Katheter ohne Auf-

fangbeutel, sitzend auf der Toilette. Männlichen Benutzern ist dies möglich, wenn sie vor der Toilette stehen können. Ist dieses nicht gegeben, sollte ein Urinbeutel an den Katheter angeschlossen werden oder ein Komplettsystem zur Anwendung kommen.

Pubertät und Einmalkatheterismus

Erfahrungen haben gezeigt, dass mit dem Beginn der Pubertät die Blasenentleerung nicht generell mit der notwendigen Sorgfalt durchgeführt wird. Dies ist insofern verständlich, als doch ganz erhebliche Veränderungen im Leben des Jugendlichen stattfinden. Rebellion im positiven Sinne dominiert als Kennzeichnung der beginnenden absoluten Selbstständigkeit das Leben. Neue Eindrücke, Empfindungen und Wertmaßstäbe sorgen für ständig wechselnde Wünsche und Gefühle. Das Katheterisieren wird in dieser Phase oftmals eher als lästige Pflicht empfunden. Dieser Umstand ist zwar nachvollziehbar, aber auch nicht ungefährlich. Jede Blaseninfektion kann die Verordnung von Antibiotika zur Folge haben, die ihrerseits Nebenwirkungen besitzen. Kehren Infektionen in kurzen Abständen immer wieder, besteht die Gefahr, dass sie chronisch werden. Die Wirkung der Antibiotika kann sich im Langzeitgebrauch verringern, was weitere Behandlungen erschwert.

Ein Katheterisieren ohne die entsprechende Gleitfähigkeit eines Katheters kann zu Verletzungen der Harnröhre führen. Werden die Katheterzeiten permanent nicht korrekt beachtet, kann es langfristig zu Erkrankungen der Blase und der Nieren kommen.

Sicherlich ist es nachvollziehbar, dass die Verwendung von Kathetern zeitweise eine Belastung darstellt. Es muss aber immer daran gedacht werden, dass die Nutzung eines Einmalkatheters Selbstständigkeit ermöglicht. Dieses Hilfsmittel ist letztlich so diskret, dass für keine fremde Person ersichtlich ist, dass die Blase sich nicht eigenständig entleeren kann.

Transurethraler Verweilkatheter

Der Blasenverweilkatheter ist eine unverzichtbare Methode der Harnableitung im klinischen und ambulanten Bereich. Über keine andere Methode der Harnableitung existiert so umfangreiche Fachliteratur. Keine andere Methode wird so umfassend wie kontrovers diskutiert, wenn es um Indikationen, Materialien und pflegerische Aspekte geht.

Bei der Anlage einer suprapubischen Fistel oder einer perkutanen Nephrostomie handelt es sich jeweils um einen operativen Eingriff, der allein vom Arzt durchgeführt werden kann. Die Versorgung mit Urinal, Harnkollektor

und Urostomiesystem ist traditionell eine Domaine der Pflege. Beim Verweilkatheter findet sich eine Schnittstelle ärztlicher und pflegerischer Kompetenz.
Die katheter-assoziierte Harnwegsinfektion ist das vorrangige Problem dieser Methode der Harnableitung. Deshalb ist die Einlage eines Ballonkatheters immer streng an das Vorliegen einer zwingenden Indikation gebunden.

Indikationen zur Einlage eines Ballonkatheters

Mit der Einlage eines transurethralen Ballonkatheters werden unterschiedliche Ziele verfolgt. In Notfallsituationen gilt:

- Entlastung der Blase bei akutem Harnverhalt
- Zur Spültherapie bei Makrohämaturie und nach Ausräumung einer Blasentamponade
- Intensivmedizinische Flüssigkeitsbilanz.

Die Liegezeit des Katheters hängt davon ab, wie rasch die Komplikation beherrscht wird und weitere diagnostische Schritte folgen.

Die Ziele im Rahmen routinemäßiger urologischer Diagnostik und Therapie sind folgende:

- Zur Durchführung urologischer Untersuchungen, die nur bei liegendem Ballonkatheter möglich sind, z. B. Zystomanometrie
- Nach Operationen an der Harnröhre, der Prostata, der Blase und dem oberen Harntrakt, um den angestrebten Operationserfolg zu sichern
- Im Rahmen eines Harnwegsinfekts zur Gewährleistung einer kompletten Ableitung des bakteriell kontaminierten Harns
- Im Verlauf invasiver diagnostischer und therapeutischer Maßnahmen anderer Fachdisziplinen, bei denen passager eine mehrstündige Harnableitung unumgänglich ist, z. B. Herzoperationen.

Die Liegezeit des Katheters ist in aller Regel vorbestimmt. Grundsätzlich soll der Katheter so früh wie möglich wieder entfernt werden.

Dauerdrainage

Der Dauerableitung muss eine strenge Indikationsstellung zu Grunde liegen. Harninkontinenz stellt allein dann eine Indikation dar, wenn die Einlage eines suprapubischen Katheters auf Grund einer Kontraindikation zwingend ausscheidet.

Im geriatrischen Bereich wird nicht selten ein »Dauerkatheter« gelegt, wenn ständiges Einnässen pflegerische und soziale Probleme verursacht. Hier ist vorher immer kritisch zu prüfen, ob nicht eine externe Harnableitung (z. B. Kondomurinal), eine suprapubische Harndrainage oder die Verwendung einer aufsaugenden Versorgung möglich und sinnvoller wäre.
In der Palliativpflege kann ein Dauerkatheter dem Betroffenen anstrengende und schmerzhafte Wechsel aufsaugender Inkontinenzversorgungen ersparen.

Ein ganz wichtiger Gesichtspunkt besteht darin, ob die Einlage eines Ballonkatheters als Kurzzeitdrainage, d. h. bis zu 5 Tagen oder als Dauerdrainage, also darüber hinaus, geplant ist. Der Zeitraum von 5 Tagen wird als jene Grenze angesehen, ab der die permanente Harndrainage anstatt über einen transurethralen Verweilkatheter besser über einen suprapubischen Katheter erfolgen sollte, weil bei letzterer Methode die Rate der infektbedingten Komplikationen erheblich geringer ist. Natürlich müssen die Kontraindikationen für eine suprapubische Fistelung der Blase beachtet werden.

Die Liegezeit hängt vom Material des Katheters ab.

Material

Seit vielen Jahren ist Latex das vorherrschende Material bei der Produktion von Ballonkathetern. Die Herstellung ist kostengünstig und deshalb finden sich Latexkatheter üblicherweise in jedem Pflegebereich. Da die Oberflächenstruktur von Latex Inkrustationen mit Harnröhrensekreten begünstigt, kommen diese Produkte nur für die Kurzzeitdrainage, d. h. bis zu 5 Tagen, in Betracht.
Für die Dauerdrainage sollten ausschließlich Voll-Silikonkatheter verwendet werden. Deren Wechsel erfolgen in 4- bis 6-wöchentlichem Abstand. Bei Silikonkathetern tritt im Verlauf der Liegezeit ein Volumenverlust unter Verwendung von reinem Aqua dest. im Ballon auf. Es ist deshalb besser, eine 10%-ige Glycerin-Aqua dest. Lösung zu benutzen, weil dann die Gefahr des Volumenverlustes erheblich geringer ist.
Unabhängig davon, welches Material und welcher Kathetertyp verwendet wird, ist als Grundsatz anzusehen: Wechselintervalle sollten niemals starr, sondern immer individuell gehandhabt werden. Sie richten sich nach der erkennbaren Inkrustration, Verschmutzung, z. B. durch Kot und der Obstruktion durch Harnsediment, Blut oder Schleim.

Kathetertypen

Die Vielfalt der unterschiedlichen Namen und Typen von Ballonkathetern ist auf den ersten Blick verwirrend. Gelegentlich existieren für einen Kathetertyp auch mehrere Namen. Nachfolgend sollen die wichtigsten Typen und Fachbegriffe erläutert werden.

1927 entwickelte der Amerikaner Foley den Ballonkatheter. Ballonkatheter werden demnach synonym auch als Foley-Katheter bezeichnet. Die Form der Katheterspitze ist von großer Bedeutung. Sie kann die Einlage des Katheters erleichtern und/oder bestimmte Eigenschaften des Katheters, z. B. das Ableiten von Blut, Sediment oder Schleim, begünstigen. Nelaton (1807 bis 1873) entwickelte Katheter aus vulkanisiertem Kautschuk. Nach ihm ist die gerade, vorn abgerundete Spitze benannt, die im Regelfall 2 seitliche Öffnungen aufweist. Der 2-Wege-Katheter mit Nelatonspitze kann als Standardkatheter bezeichnet werden.

Nelaton-Spitze

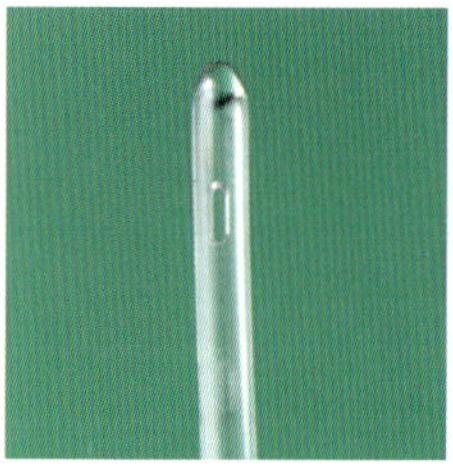

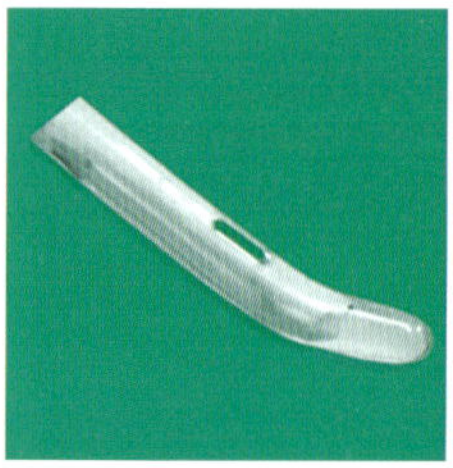

Tiemann-Spitze

Funktionell geformt ist die Tiemannspitze. Es handelt sich um eine volle, gekrümmte und zudem nach vorn verjüngende Spitze. Sie soll den Katheterismus beim Mann erleichtern, wenn z. B. auf Grund eines benignen Prostatasyndroms ein erhöhter Widerstand im Bereich der prostatischen Harnröhre vorliegt. Die Spitze bleibt beim Vorschieben des Katheters permanent so ausgerichtet, dass sie der physiologischen Windung der bulbären Harnröhre folgt.

Harndrainage als geschlossenes System

Die Verwendung eines geschlossenen Systems ist bei der dauerhaften Drainage der Blase unverzichtbar. Der Begriff ist erklärungsbedürftig, weil diesbezüglich vielfach irrige Vorstellungen bestehen. Unter einem geschlossenen System ist die funktionelle Einheit des Katheters mit dem Drainagesystem zu verstehen. Der entscheidende Aspekt besteht darin, dass der Urinbeutel keinesfalls unnötig vom Katheter gelöst (diskonnektiert) werden darf. Ein Beutel, der nur über den Zulaufschlauch entleert werden kann, weil er kein Ablassventil an seiner unteren Kante besitzt, ist demnach völlig ungeeignet. Das wesentliche Konstruktionsmerkmal eines Drainagebeutels zur Anwendung in einem geschlossenen System besteht also im Ablasshahn an dessen tiefstem Punkt. Daneben gibt es eine Reihe weiterer Anforderungen, an denen die Qualität des Produkts zu messen ist. Wichtig ist eine starre Tropfkammer mit wasserabweisender (hydrophober) Belüftung. Diese gewährleistet die Unterbrechung der stehenden Harnsäule im Schlauch und stellt so eine Bakterienschranke (Pasteur'scher Weg) dar. Die Belüftung der Tropfkammer wirkt Unterdruck- und Sogeffekten entgegen, durch die Blasenschleimhaut so stark an die Augen des Katheters herangezogen wird, dass sich diese verschließen. Außerdem können die Wände der Tropfkammer wieder abtrocknen, wenn die Tropfkammer während einer Schräglage des Beutels mit Harn überflutet war. Ein dicht abschließendes Antirefluxventil zwischen Tropfkammer und Reservoir verhindert Rückfluss von Harn bei Schräglage des Beutels. Eine konsequente vertikale Führung und Fixierung des Beutels unterhalb des Blasenniveaus bietet allerdings den besten Schutz vor Reflux. Eine hydrophobe Belüftung wird benötigt, damit der Luftdruck innerhalb des Beutels mit dem Außendruck ausgeglichen werden kann. So kann sich im Beutel kein Luftpolster bilden, das die Füllung behindert. Am Schlauch, nahe dem Ansatzkonus, sollte eine Stechmembran zur Entnahme von Harnproben vorhanden sein. Diese Vorrichtung dient wiederum dazu, überflüssige Diskonnektionen zu vermeiden. Verlässliche Ergebnisse im Rahmen einer Flüssigkeitsbilanz lassen sich nur erzielen, wenn genaue Skalen für den Fein- und Grobmessbereich vorhanden sind.

Katheterpflege nach transurethraler Operation

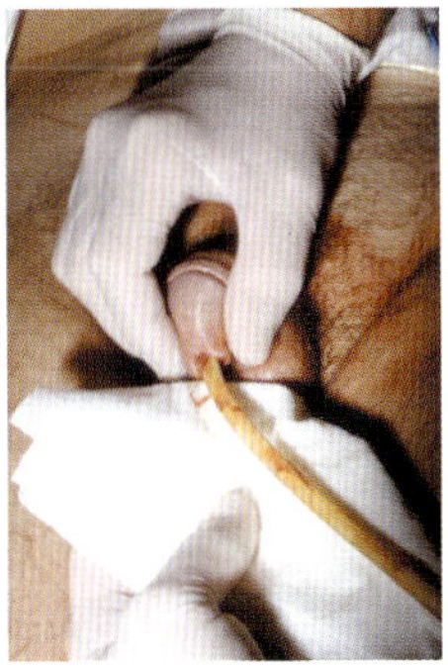

Katheterpflege

Katheterpflege wird durchgeführt, um das Eindringen von Keimen und deren Vermehrung im Bereich des Meatus urethrae so weit als möglich einzuschränken. Zu verhindern ist eine aufsteigende Infektion durch diese pflegerische Maßnahme aber nicht. Dennoch hat sie ihre Berechtigung. Katheterpflege dient der Vermeidung einer Meatusstenose. Diese kann entstehen, wenn eine Infektion zur Entzündung der Harnröhrenöffnung führt und sich anschließend eine narbige Stenose bildet.

3. Perkutane Harnableitung

Urethritis mit eitrigem Ausfluss

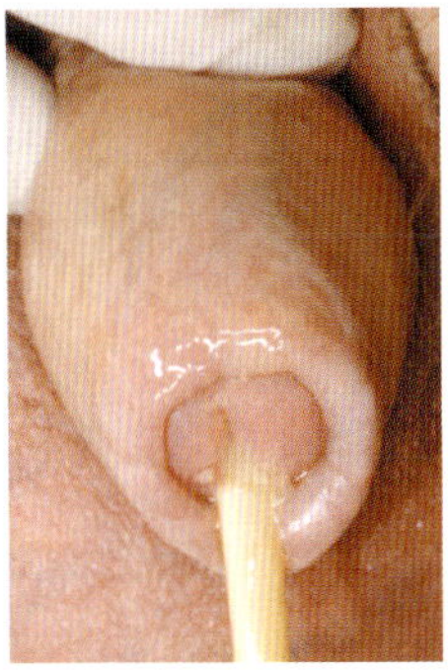

Unter perkutaner Harnableitung sind solche Verfahren zu verstehen, bei denen die Blase oder das Nierenhohlsystem durch die äußere Haut anpunktiert werden, um anschließend einen speziellen Katheter zur Harndrainage einzulegen.

Suprapubischer Blasenkatheter (SPK)

Der Harn wird über einen suprapubischen Katheter aus der Blase abgeleitet. Die Einlage erfolgt in Lokalanästhesie über eine weitlumige Punktionsnadel etwa 2 Querfinger oberhalb der Symphyse durch die Bauchdecke. Je nach Material und Ausführung handelt es sich um einen selbsthaltenden Ballonkatheter oder einen Katheter, der nahe der Einstichstelle per Hautnaht fixiert wird.

Muss bei einem Patient der Harn aus der Blase dauerhaft, d. h. länger als 5 Tage abgeleitet werden, so erhält heute immer häufiger die suprapubische Blasenfistel den Vorzug gegenüber dem Dauerkatheter. Der Grund dafür liegt in der wesentlich geringeren Komplikationsrate. Entscheidend ist hier, dass erheblich weniger Harnwegsinfekte entstehen. Außerdem wird der suprapubische Katheter häufig besser toleriert, weil mechanische Irritationen im Genitalbereich entfallen.

Allerdings muss beachtet werden, dass eine Reihe von Kontraindikationen die Einlage eines suprapubischen Katheters verbieten:

SPK mit Annaht

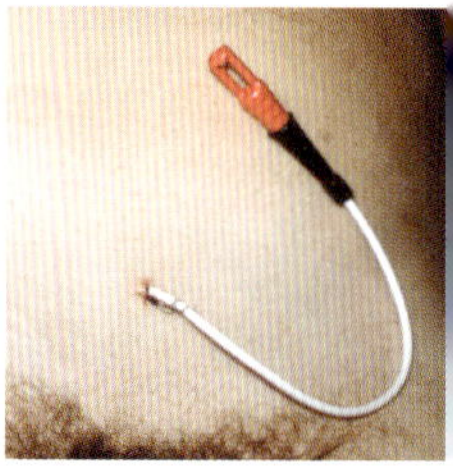

Relative Kontraindikationen

Beim Vorliegen der nachgenannten relativen Kontraindikationen entscheidet der Arzt im Einzelfall, ob die Einlage eines suprapubischen Katheters möglich ist.

- Die Blase lässt sich für die Punktion nur ungenügend auffüllen. (Minimum 150 ml)
- Es finden sich ausgedehnte Vernarbungen im Punktionsbereich
- Ein Darmverschluss ist nachgewiesen, das Abdomen ist stark überbläht
- Es liegt eine Schwangerschaft vor
- Extreme Adipositas erschwert die Punktion.

Absolute Kontraindikationen

Die Einlage eines suprapubischen Katheters kommt keinesfalls in Betracht, weil sich eine gravierende Gefährdung des Betroffenen ergeben würde.

- Es liegt eine Schrumpfblase vor
- Der Betroffene hat einen Blasentumor. Der Tumor könnte hämatogen metastasieren
- Tumoren im Abdomen haben zur Verdrängung der Harnblase geführt
- Es besteht eine Antikoagulationstherapie mit Marcumar® oder ASS
- Hauterkrankungen im Punktionsbereich.

Zwei verschiedene Ausführungen von Kathetern stehen für die suprapubische Harnableitung zur Verfügung. Einerseits ein PU-Katheter, der zu seiner abgerundeten Spitze hin eine starke Krümmung aufweist, die während der Einlage durch einen Trokar gestreckt und stabilisiert wird. In diesem Bereich besitzt der Katheter mehrere Löcher, über die der Harn abfließt. Dies wird als *Pigtail-Spitze* bezeichnet. Die Krümmung reicht allerdings allein nicht aus, eine Dislokation des Katheters zu verhindern.

Nahe der Punktionsstelle ist daher eine Fixation per kutaner Annaht erforderlich. Das System wird oftmals verwendet, wenn die Dauer der suprapubischen Ableitung ungewiss ist. Ein anderer Kathetertyp kommt ohne Annaht aus. Es handelt sich um einen Ballonkatheter, der an seiner Spitze eine zentrale Öffnung aufweist. Durch den Ballon ist der Katheter selbsthaltend. Weil dieser Katheter primär zur Langzeitdrainage verwendet wird, besteht er in aller Regel aus Silikon. Dieses Material lässt Wechselintervalle des Katheters in Abständen von 4 bis 6 Wochen zu. Dabei wird zunächst ein Draht über das Lumen des Katheters bis in die Blase vorgeschoben, der alte Katheter entfernt und schließlich der neue Katheter über den Führdraht vorgeschoben. Eine erneute Punktion ist somit nicht notwendig.

Die Einstichstelle sollte zwei mal wöchentlich kontrolliert und danach wieder mit einem sterilen Verband abgedeckt werden. Der suprapubische Katheter wird an ein Harndrainage-System angeschlossen. In dieser Hinsicht erweist sich ein Silikon-Ballonkatheter gelegentlich anwendungsfreundlicher als ein PU-Katheter. Letztere können durch wiederholtes Abknicken leichter Schaden nehmen. Bei mehrfachen Verdrehungen lassen sie sich u. U. nicht vollständig in ihre Ausgangsform zurückbringen. Einengungen des Lumens können den Durchfluss behindern. Bei mobilen Betroffenen ist die Versorgung mit einem Beinbeutel angezeigt. Hier gibt es ein breites Angebot, das nahezu jedem Bedürfnis gerecht wird.

Die Spitze des Katheters kann durch Reibung an der Blasenschleimhaut Blutungen verursachen. Die Stärke der Blutung muss beobachtet werden. Gelegentliche leichte Blutungen, die sich nach kurzer Zeit einstellen, sind unbedenklich. Bei starken Blutungen droht ein Verstopfen der Katheteraugen durch Blutkoagel. Fördert der Katheter in solchen Fällen keinen Harn mehr, muss angespült werden. Lässt sich keine Spülflüssigkeit aspirieren, muss er unverzüglich gewechselt werden.

Anwendung eines Katheterventils

Unter bestimmten Voraussetzungen kann ein Katheterventil bei der Harndrainage der Blase über einen suprapubischen Katheter angewendet werden, um dem Betroffenen diese Situation zu erleichtern. Die Harnblase erfüllt dabei weiterhin die Funktion des Harnreservoirs, die Entleerung wird gezielt über das Ventil gesteuert. Während des Tages ist damit ein Drainagebeutel überflüssig, weil die Blasenentleerung in aller Regel direkt in die Toilette erfolgt. Zur Nacht sollte das Ventil auf »Durchfluss« gestellt und mit einem Drainagebeutel verbunden werden können, so dass die Nachtruhe ungestört bleibt. Allerdings darf ein Katheterventil nur dann eingesetzt werden, wenn keine Kontraindikation besteht, die Blase unter physiologi-

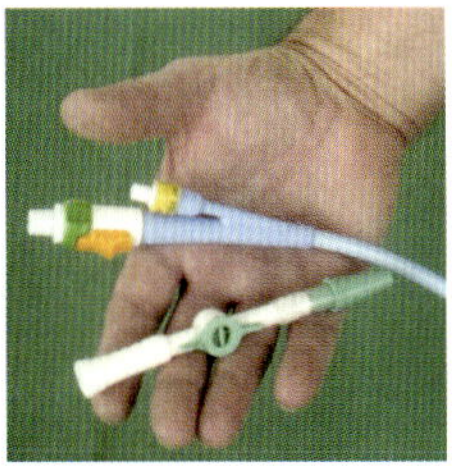

schen Bedingungen bis an deren Kapazitätsgrenze aufzufüllen. Treten z. B. wiederholt Harnwegsinfekte auf, so muss zur Dauerableitung mit einem Drainagebeutel zurückgekehrt werden.
Für den jeweils Betroffenen sollte aus dem Angebot zahlreicher Produkte ein Ventil ausgewählt werden, dessen Handhabung so einfach und effizient wie möglich erscheint. Eine Reihe von Ventilen, die abends leicht und sicher mit einem Drainagebeutel verbunden werden können, weil sie entsprechende Vorrichtungen aufweisen, stehen zur Verfügung.

Perkutane Nephrostomie

Der Harn wird über einen perkutan in das Nierenhohlsystem eingelegten Katheter abgeleitet. Die Punktion erfolgt ultraschallgesichert in Lokalanästhesie. Verwendung finden Pigtailkatheter, die per kutaner Annaht fixiert werden oder selbsthaltende Ballonkatheter. Der Harn wird in ein geeignetes Drainagesystem abgeleitet.

Frisch angelegte perkutane Nephrostomie mit Pigtailende und perkutaner Annaht.

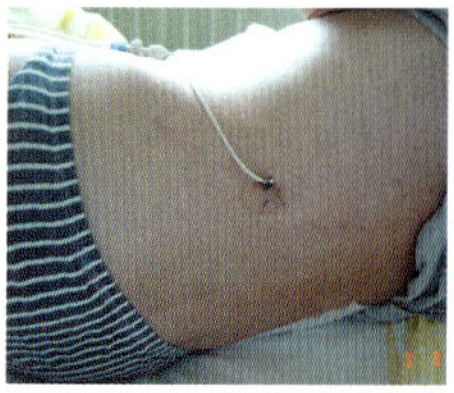

Vorbereitend wird im Punktionsbereich eine Lokalanästhesie gesetzt. Ein spezieller Ultraschallkopf ermöglicht die gezielte Punktion des Nierenhohlsystems mit einer langen Nadel. Ist die Punktion gelungen, fließt Urin über die Nadel ab. Nun wird ein Draht über die Nadel vorgeschoben und letztere entfernt. Über den Draht wird wiederum der Katheter eingelegt. Wie bei der suprapubischen Drainage der Blase kann auch bei dieser Methode der Harnableitung zwischen einem PU-Katheter, der neben der Einstichstelle mit einem Haltefaden an der Haut angenäht werden muss und einem selbst haltenden Ballonkatheter gewählt werden. Soll ein Silikon-Ballonkatheter verwendet werden, ist ein etwas größerer Stichkanal erforderlich. In 4- bis 6-wöchentlichen Abständen wird der Katheter über einen Führungsdraht gewechselt. Der Verbandwechsel erfolgt nach dem gleichen Muster wie beim suprapubischen Katheter.

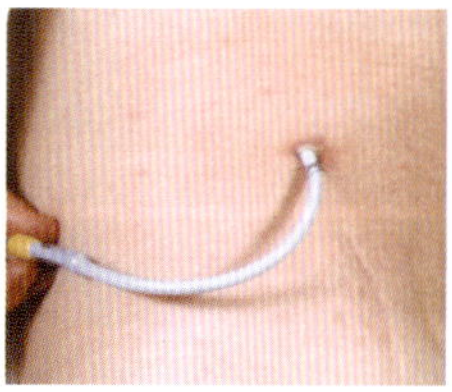

Ungenügend versorgte perkutane Nephrostomie. Entzündeter Hautbereich um die Einstichstelle.

Komplikationen

In den ersten Stunden nach der Anlage einer perkutanen Nephrostomie kann die Ausscheidung über den Katheter sehr blutig sein. In dieser Phase müssen Förderleistung und Ausmaß der Blutbeimengung engmaschig beobachtet werden. Es besteht die Gefahr, dass sich die Augen des Katheters mit geronnenem Blut zusetzen und diese Störung nicht wieder beseitigt werden kann. Kommt es zur Verstopfung des Katheters, bewirkt Harnstau in aller Regel Flankenschmerz. Der Katheter muss freigespült werden. Hierbei handelt es sich um eine ärztliche Tätigkeit. Gelingt dies nicht, besteht

akuter Handlungsbedarf. Es sollte unverzüglich ein Arzt benachrichtigt werden, der den Schlauch ggf. austauschen kann. Tritt beim Patienten Fieber, Schüttelfrost oder Erbrechen auf, weist das auf einen Infekt hin.
Wird für die Nephrostomie ein PU-Schlauch verwendet, muss dieser sorgfältig vor Beschädigungen geschützt werden. Durch wiederholte Abknikkungen und Verdrehungen droht die Einengung des Katheterlumens. Er muss deshalb entsprechend verbunden und gesichert werden. Da die Einstichstelle in der Flanke liegt, können sich Betroffene nicht selbst verbinden. Verbandwechsel erfolgen 2 mal wöchentlich. Dabei werden der Punktionsbereich und der Schlauch auf längerer Strecke mit einem hautfreundlichen Pflaster abgedeckt. Der Schlauch ist so gegen Verdrehungen gesichert. Als Dauerableitung ist ein Silikon-Ballonkatheter besser geeignet als ein PVC-Katheter, weil dieser nicht per Hautnaht fixiert werden muss und zudem eine unbeabsichtigte unsanfte Behandlung in der Regel unbeschadet übersteht.
Entzündungen der Einstichstelle werden mit Polyvidonjod-Salbe behandelt. Hier ist die spezifische Wirkungsdauer zu beachten.

Wolfgang Webelhuth & Dietmar Hegeholz

10. Roll on

Anforderungen an die Hilfsmittelversorgung von Rollstuhl fahrenden Menschen bei Inkontinenz

Sind es nicht gerade die Fußgänger, die Schwierigkeiten im Umgang mit Rollstuhl fahrenden Menschen haben? Mitleidige Blicke, übertriebene Hilfsangebote u. ä. prägen den Alltag des Rollstuhlfahrers. Ein guter Freund sagte einmal zu mir: »Der Fußgänger muss einfach nur verstehen lernen, dass der Rollstuhl für mich das entscheidende Paar Schuhe ist, mit dem ich mich bewege. Ansonsten gibt es keine gravierenden Unterschiede in den Bedürfnissen des täglichen Lebens. Krankheitsbedingte Fehlfunktionen des Körpers muss ich mit Hilfsmitteln ausgleichen – und zwar so ausgleichen, dass ich nach Möglichkeit keine zusätzlichen Einschränkungen habe.« Die Vermeidung dieser Einschränkungen bezieht sich selbstredend auch auf den Bereich der Blasen- und Darmentleerung.

Blasenfunktionsstörungen sind, wie in diesem Buch bereits beschrieben, ein weit verbreitetes Problem, welches in besonderem Maße auch Rollstuhl fahrende Menschen betrifft. Unbehandelt führen Blasenfunktionsstörungen zu Inkontinenz und Sekundärveränderungen am Harntrakt.
Die meisten dieser Patienten leiden durch eine Verletzung des Rückenmarks unter einer sog. neurogenen Blase, die je nach Lähmungsgrad und Krankheitsstadium unterschiedlich ausgeprägt sein kann. Diese Verletzung ist sicherlich eine der kompliziertesten, die ein Mensch erleiden kann. Besonders deutlich wird dies, wenn man die physiologische Bedeutung des Rückenmarks als »Informationsaustauschorgan« zwischen Gehirn und allen Teilen des Körpers betrachtet. Die mit dieser Schädigung verbundenen kör-

perlichen Einschränkungen betreffen das Rückenmark aber auch in seiner Funktion als selbstständiges Nervenzentrum, das unter anderem die Funktionen von Blase und Darm kontrolliert.

Bei der Blasenfunktionsstörung liegt eine Schädigung des Rückenmarks vor, die dazu führt, dass sich die Blase ohne willentliche Steuerung durch das Großhirn entleert.
Zwischen Blase und sakralem Miktionszentrum entsteht ein sog. Reflexbogen, sodass während der Blasenfüllungsphase elektrische Impulse an das Miktionszentrum abgegeben werden. Diese Impulse wiederum lösen eine reflexartige Blasenkontraktion und dadurch eine Entleerung der Harnblase aus, da die »Leitung« zwischen sakralem Miktionszentrum und Großhirn unterbrochen ist. Die Betroffenen verspüren weder einen Harndrang, noch können sie die Entleerung der Blase wahrnehmen oder gar beeinflussen. Es entsteht eine Reflexblase, die zu einer Detrusor-Sphinkter-Dyssynergie führt. Dies bedeutet, dass sich der Schließmuskel zusammenzieht, wenn sich die Blase kontrahiert. Die Blasenentleerung erfolgt gegen den Widerstand der Schließmuskulatur. Die hierbei auftretenden hohen intravesicalen Drücke können zu Harnrückstau in die Nieren und zur Bildung von Blasendivertikeln führen.

Eine weitere Form der Störung kann im Bereich des Miktionszentrums liegen. Sie führt dazu, dass die Blase nicht mehr gesteuert wird. Die Blase füllt sich ohne Kontraktionsmöglichkeit so lange, bis der Schließmuskelverschlussdruck überwunden wird. Anschließend fließt ein Teil des Urins ab, es verbleiben aber hohe Restharnmengen in der Blase. Weiterhin sind Mischformen der genannten Schädigungen möglich. Die genannten Störungen können zu folgenden »spastischen Mustern« führen:

- Schlaffer Detrusor bei schlaffem Sphinkter
- Schlaffer Detrusor bei spastischem Sphinkter
- Spastischer Detrusor bei spastischem Sphinkter
- Spastischer Detrusor bei schlaffem Sphinkter

Grob kann man die Patienten in zwei Gruppen einteilen: die einen verlieren ab einem gewissen Füllungszustand der Blase ständig Urin, die anderen haben das Problem, dass sich die Blase füllt und nicht entleert werden kann (Hyperkontinenz). Zur Therapie gehören neben der Klassifikation der Blasenfunktionsstörung verschiedene rehabilitative Maßnahmen, die dem Patienten eine selbstständige Lebensführung ermöglichen.

Für Menschen mit Blasenfunktionsstörungen, die aufgrund ihrer Erkrankung auf einen Rollstuhl angewiesen sind, muss eine individuelle Beratung und Hilfsmittelanpassung gewährleistet sein. Seitens des Fachpersonals muss sichergestellt werden, dass die unterschiedlichen Verlaufsformen der Blasenfunktionsstörungen bekannt sind und das entsprechende indikationsgerechte Harnableitungsverfahren ausgewählt werden kann.
Beratung, Hilfsmittelauswahl und das Training des Betroffenen mit dem Hilfsmittel erfordern Zeit und einen gut organisierten Ablauf, da das Ziel der Hilfsmittelversorgung darin besteht, eine autonome Blasenentleerung bei gleichzeitiger Komplikationsvermeidung zu gewährleisten. Insbesondere für Querschnittgelähmte, Menschen mit Spina bifida oder Multipler Sklerose sind umfangreiche Kenntnisse der Versorgungsmöglichkeiten wichtig.

Meistens benötigen Rollstuhlfahrer für die Verrichtungen des täglichen Lebens mehr Zeit als nicht behinderte Menschen. Ziel der Hilfsmittelversorgung ist es nun, den Zeitaufwand an den eines gesunden Menschen so weit wie möglich anzugleichen.
Das Mittel der Wahl zur Versorgung der Blasenfunktionsstörung ist der intermittierende Einmalkatheterismus. Alternativ kommen die Harnableitung über ein Kondomurinal und die suprapubische Hardrainage in Betracht. Die Entscheidung für das jeweilige Harnableitungsverfahren ist darüber hinaus auch abhängig von den Ressourcen, Fähigkeiten und Einschränkungen bei einem Rollstuhlfahrer.

Für die Auswahl des Katheters sollte ausreichend Zeit eingeplant werden. Hierbei sind in erster Linie die Fähigkeiten des Patienten und seine persönliche Lebenssituation ausschlaggebend. Wichtig für die Auswahl des Katheters sind folgende Parameter:

- Einschätzung des Grades der persönlichen Fähigkeiten bzw. Einschränkungen
- Beurteilung der Handfunktion des Betroffenen
- Sitzstabilität
- Mobilität beim Transfer vom Rollstuhl auf die Toilette
- häusliche Umgebung inkl. Einrichtungen im Badezimmer (nicht allen Rollstuhlfahrern steht ein barrierefreies Badezimmer zur Verfügung) bzw. ein anderer Ort für die Katheterisierung
- kognitive Fähigkeiten

Besondere Bedeutung erlangt die Einstellung des Rollstuhls. Frauen, die sich z. B. während des Katheterisierens im Rollstuhl weit auf die Kante der Sitzfläche setzen, müssen darauf achten, dass sie nicht nach vorne kippen. Männer lehnen sich häufig weiter zurück, so dass der Rollstuhl beim Katheterisieren nicht nach hinten umfallen darf. Der Schwerpunkt des Rollstuhls soll deshalb so eingestellt sein, dass der Patient während der Katheterisierung nicht Gefahr läuft, sich zu verletzen.

Hosenhalter (Coloplast)

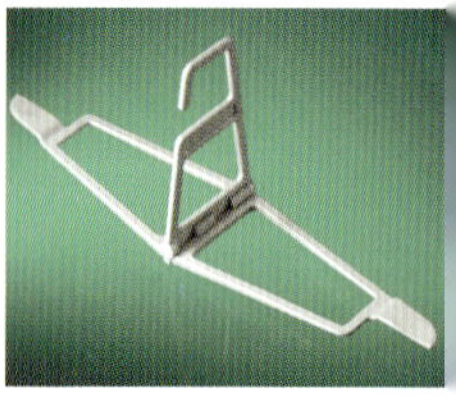

Für die selbstständige Durchführung ist es wichtig, dass die Betroffenen in der Lage sind, ihre Kleidung so weit zu öffnen und herunter zu ziehen, dass die Genitalregion frei liegt. Oft ist es hilfreich, sog. Hosenhalter zu verwenden. Dies sind speziell gefertigte Haken, die den Betroffenen ermöglichen, genügend Spielraum zu haben, um die Katheterisierung durchzuführen, ohne dabei von der Kleidung behindert zu werden.

Spiegel (Medical Service)

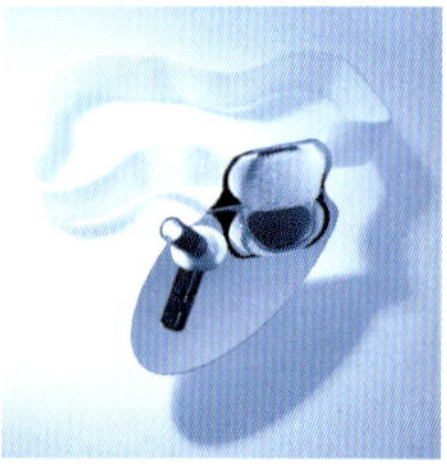

Frauen können die Genitalregion nicht einsehen und benutzen deshalb gerne einen Spiegel, der mit Klettbändern am Oberschenkel befestigt werden kann. Diese Spiegel sind sowohl für Rechtshänder als auch für Linkshänder so wie mit und ohne integrierter Lampe erhältlich. Einige Frauen haben zusätzlich das Problem, dass sie die Schamlippen nicht ausreichend spreizen können oder diese Handhaltung nicht lange genug durchführen können, um den Katheter einzuführen. Hierfür werden von der Firma *Sauer Continence* sog. Labienspreizer angeboten.
Menschen, die aufgrund ihrer Behinderung nicht in der Lage sind, die Beine zu spreizen, können Spreizhilfen verwenden, die in verschiedenen Formen und Größen zur Verfügung stehen. Außerdem sind für Tetraplegiker spezielle Einführhilfen, mit denen der Katheter gehalten werden kann, erhältlich *(Sauer Continence* und *Coloplast)*.

Labienspreizer (Sauer Continence)

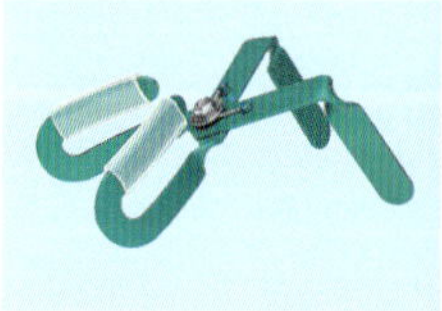

Männer, die mit beiden Händen den Katheter einführen (z. B. bei Tetraplegie), können zum Aufrichten des Penis sog. Aufrichthilfen verwenden. Weitere Handicaps können – z. B. in Zusammenarbeit mit Ergotherapeuten – über individuell angefertigte Hilfsmittel kompensiert werden.

Spreizhilfe für die Beine (Medical Service)

Männer, die keinen Restharnbefund haben oder aus verschiedenen Gründen nicht in der Lage sind, den Einmalkatheterismus selbstständig durchzuführen, können Kondomurinale und Beinbeutel einsetzen, um den abfließenden Urin aufzufangen.
Wie bei anderen Patienten auch, ist es wichtig die richtige Größe auszusuchen und dem Patienten die Handhabung zu zeigen. Es stehen verschiedene Produkte zur Verfügung. Kondomurinale mit Applikationshilfen sind für

Patienten mit eingeschränkter Handfunktion leichter anzuwenden. Die Kontrolle, dass das Kondom nicht abknicken kann, sollte bei Rollstuhlfahrern sehr gewissenhaft durchgeführt werden.

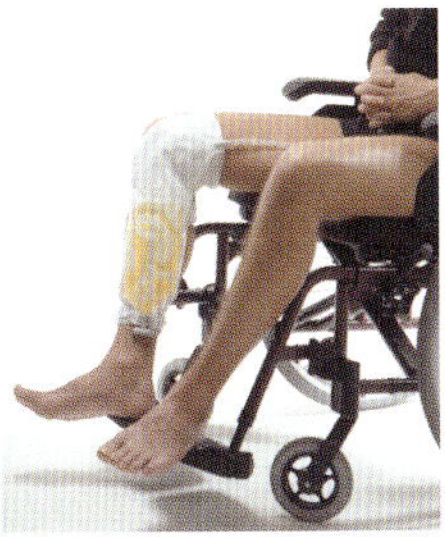

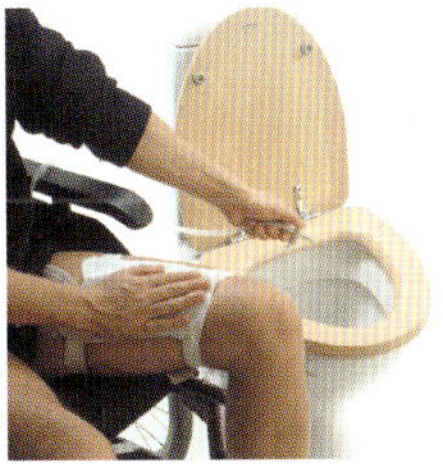

Besonderheiten für Rollstuhl fahrende Patienten zeigen sich auch im Bereich der Beutelversorgung. So werden hierfür von den Firmen *Sauer* und *Coloplast* spezielle Beutel angeboten, die im 90-Grad-Winkel über- und unterhalb des Knies an 3 Punkten fixierbar sind und ein größeres Fassungsvolumen haben (s. Bild oben). *Coloplast* stellt zudem Beinbeutel für Rollstuhlfahrer her, die am Oberschenkel getragen werden und über einen langen Ableitungsschlauch durch Druck auf den Beutel am Oberschenkel entleert werden können (s. Bild unten).

Bei der Auswahl der Beinbeutel spielen zwei Kriterien eine Rolle. Zunächst muss das Füllvolumen den Bedürfnissen der Patienten angepasst sein. Außerdem muss der Verschlussmechanismus gut zu handhaben sein. Patienten mit eingeschränkter Handfunktion können Systeme zum Auf- und Zuschieben oder Auf- und Zuklappen besser handhaben als solche die auf- und zugedreht werden müssen. Häufig legen sie auch Wert darauf, dass der Beutelverschluss mit einer Hand zu bedienen ist, weil sie die andere Hand brauchen, um sich im Rollstuhl zu stabilisieren, sodass ein Umkippen bei herunter gebeugter Haltung verhindert werden kann.

Die Befestigung der Beutel erfolgt entweder mit Beinbändern, Stulpen, oder Beinbeuteltaschen. Hier sollte die dem Patienten angenehmste Form gewählt werden.

Alle Beinbeutel müssen mit einer Rücklaufsperre ausgestattet sein. Sie sollten an der Rückseite eine Baumwoll- oder Vliesbeschichtung haben, weil der ständige Hautkontakt mit einer Kunststofffolie vielfach als unangenehm empfunden wird.

Ebenso wichtig wie die korrekte Handhabung der Beutel ist die Durchführung der Kontrolle des Ableitungsschlauches. Das Sitzen auf dem Schlauch muss vermieden werden, da es neben einer Abflussbehinderung auch zu Druckbelastungen und so zur Entstehung von Druckstellen kommen kann.

Neurogen bedingte Störungen der Darmfunktion finden sich annähernd ebenso häufig wie neurogene Blasenfunktionsstörungen und zeigen sich in drei Ausprägungen, die in engem Zusammenhang stehen:

1. in einer Störung der Transportfunktion
2. in einer Störung der Entleerungsfunktion, die sich fast ausschließlich als Obstipation zeigt
3. in einer Störung der Verschlussfunktion mit folgender Inkontinenz.

Die Funktionsstörung des Darmes erfordert ein individuell auf den Betroffenen abgestimmtes Darmmanagement mit dem Ziel der Vermeidung von Stuhlinkontinenz, Obstipation, Komplikationen am Gastro-Intestinal-Trakt, langen Entleerungszeiten und Abhängigkeit von Fremdhilfe. Mögliche pflegerische Interventionen sind die Durchführung der digitalen Stimulation oder die Durchführung der transanalen Irrigation.

Die Auswahl an Hilfsmitteln ist groß, so dass für jeden Rollstuhl fahrenden Patienten eine individuelle Lösung gefunden werden kann. Hersteller, die Hilfsmittel zur ableitenden Inkontinenzversorgung produzieren, stellen oft auch Ratgeber zu ihren Produkten, entsprechende Produktmuster und Anwendungshilfen zur Verfügung. Pflegekräfte, die sich unerwartet mit der Hilfsmittelversorgung bei Rollstuhl fahrenden Menschen konfrontiert sehen, sollten sich nicht scheuen, darüber hinaus Spezialisten zu fragen oder den Kontakt zu anderen Betroffenen zu suchen. Diese Menschen sind Experten in eigener Sache und meistens bereit, neue Hilfsmittel auszuprobieren, Erfahrungen weiterzugeben und anderen Betroffenen hilfreich zur Seite zu stehen.

Dietmar Hegeholz

11. Eine besondere Herausforderung

Der alte Mensch und die Inkontinenz

Die größte Gruppe der von Inkontinenz Betroffenen ist unzweifelhaft die der älteren Menschen. Dies ist einer der Faktoren in unserer Arbeit, der sich mit Sicherheit nicht ändern wird, da die demografische Entwicklung eindeutig ist. Die Herausforderungen, nicht zuletzt für das Gesundheitswesen und somit vor allem für die Pflegeberufe, sind damit riesig, zumal mit zunehmendem Alter trotz Multimorbidität der Therapiefaktor eher abnimmt, der Pflegebedarf dagegen rasant ansteigt.

Während die häufigsten Kontinenzstörungen bei jungen Menschen die Belastungsinkontinenz (v. a. junge Frauen in und nach Schwangerschaft) sowie die Reflexinkontinenz (Querschnittlähmung nach Unfällen) sind, dominieren beim alten Menschen Drang- und Mischinkontinenz sowie die chronische Harnretention beim alternden Mann.

Körperliche Veränderungen

Im Zusammenhang mit Kontinenzstörungen sind physiologische Organveränderungen im Alter hervorzuheben:

- Blasen- und Schließmuskulatur verlieren an Tonus, Elastizität und Kraft.
- Das Fassungsvermögen der Harnblase nimmt ab.
- Der Harnstrahl wird schwächer.
- Es kommt vermehrt zur Restharnbildung.
- Durch sinkenden Östrogenspiegel und daraus resultierender Veränderungen der Blasenschleimhaut kommt es bei Frauen zu häufigeren Harnwegsinfekten

- Physiologische Hirnleistungsverluste (z. B. auch geringeres Durstgefühl, was zu Trinkdefiziten führt) resultieren ebenso wie Demenzerkrankungen in Störungen der Miktionssteuerung:
  1. Die hemmenden Impulse vom Gehirn nehmen ab
  2. Der initiale Harndrang meldet sich verspätet
  3. Die »Vorwarnzeit« ist zu kurz ...

Die Funktionen der Sinnesorgane werden mit zunehmendem Alter schwächer. Im Zusammenhang mit Kontinenzstörungen ist neben Hör- und Sehschwächen auch der Diabetes mellitus erwähnenswert, der oft Sensibilitätsstörungen z. B. in den Händen oder auch in der Blasenschleimhaut (Drangsymptomatik) zur Folge hat. Manuelle Defizite können ebenso aufgrund von Erkrankungen des rheumatischen Formenkreises auftreten und die Selbstpflegeressourcen schwächen.

Generelle Handicaps des alten Menschen sind die nicht seltene Multimorbidität sowie die daraus resultierende Multimedikation mit entsprechenden Nebenwirkungen. Mobilitätseinschränkungen und Unsicherheiten begünstigen die Sturzgefahr bei Harndrang. Ein prophylaktischer Hüftprotektor behindert wiederum das zügige Abstreifen der Kleidung beim Toilettengang.

Die chronische Obstipation ist ein weiteres alterstypisches Merkmal, nicht zuletzt bedingt durch Trink- und Bewegungsdefizite. Aufgrund des physiologisch abnehmenden Durstgefühls ist ein aktivierendes Flüssigkeitsmanagement sehr wichtig!

Psycho-soziale Probleme

Fast zwangsläufig entwickeln sich unter dem Einruck von Kontinenzstörungen neben eigenen Regressionstendenzen **familiäre Konflikte.** Die Unsicherheit, wie mit der Situation umzugehen ist, belastet die Menschen, die voneinander abhängig sind. Die pflegerische Betreuung wird zuweilen nicht nur vom pflegebedürftigen alten Menschen, sondern auch von den pflegenden Angehörigen als »sozialer Abstieg« erlebt. In zeitlicher und räumlicher Abhängigkeit zum inkontinenten Angehörigen und dessen (unausgesprochenem) Versorgungsanspruch zu leben, stellt eine große Herausforderung dar. Die bereits erwähnte Versorgungsumkehr – z. B. Tochter pflegt Mutter – kann zudem eine sehr schambesetzte Atmosphäre schaffen.

Wohnraum- bzw. Umgebungsanpassung sind gerade für den alten Menschen eine wesentliche Hilfe, wobei naturgemäß nicht alles machbar ist. Eine gute Erreichbarkeit der Toilette ist ebenso wichtig wie eine Toilettensitzerhöhung, erforderliche Gehhilfen oder eine das Toilettentraining erleichternde Kleidung. Ebenso wie das zügige Aus- und Anziehen vor dem Toilettengang muss auch das Handling erforderlicher Hilfsmittel angeleitet und eingeübt werden.

Dass die Belastungen im häuslichen Bereich die Beteiligten nicht selten überfordern, belegt der Umstand, dass Inkontinenz neben Demenz **der** Einweisungsgrund für »Umsiedlungen« ins Pflegeheim ist!

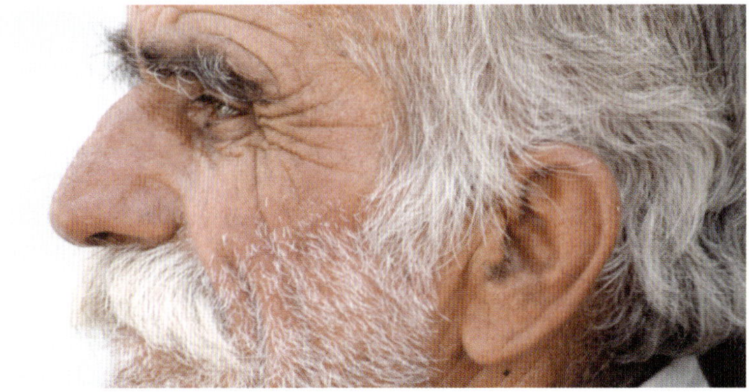

Herausforderung für die Pflege

Durch den o. g. Umgebungswechsel ergeben sich in Kranken- und Pflegeeinrichtungen die verschiedensten Verhaltensmuster: »brave« Zurückhaltung verbunden mit der Angst, durch Klingeln zu stören, kann ebenso zur »Unterversorgung« führen wie das »nervige« Dauerklingeln.

Sicher ist es ein Irrtum zu glauben, jemand würde »extra« klingeln und einnässen und/oder einkoten, um das Pflegepersonal zu schikanieren. Es ist in den meisten Fällen wohl eher ein Ausdruck von Hilfslosigkeit und ein Schrei nach Zuwendung und Aufmerksamkeit.

Trotz des Wissens um die Vorteile des Kontinenztrainings werden in vielen Pflegeeinrichtungen Inkontinenzslips bevorzugt, einerseits, weil ein zu hoher Personalaufwand angenommen wird, und vielleicht auch, um einer intensiveren Auseinandersetzung mit der Inkontinenz auszuweichen.

Kritisch muss nach wie vor auch der Einsatz eines Dauerkatheters betrachtet werden, der grundsätzlich noch zu oft gelegt wird. Trotzdem sollte nicht übersehen werden, dass ein Katheter im Einzelfall **auch** ermöglichen kann, dass ein »alter Baum« nicht verpflanzt werden muss, sondern im vertrauten Umfeld leben kann, wo sonst eine zeitnahe, ausreichende Versorgung nicht möglich wäre ...

Maßnahmen des Hautschutzes sind von besonderer Bedeutung, da die Altershaut »dünner« und empfindlicher ist. Die wichtigste Regel für einen effektiven Hautschutz, nämlich eine unverzügliches Wechseln der verschmutzten Wäsche, Vorlagen oder Inkontinenzslips, ist leider keine Selbstverständlichkeit. So kommt es nicht selten vor, dass bettlägerige Patienten/Bewohner lange in den Ausscheidungen liegen und auf Hilfe warten müssen. Das ist nicht nur entwürdigend, sondern auch Haut schädigend.
Ähnlich kritisch ist die Überversorgung durch »Doppeln« von Vorlagen zu sehen, um die Nacht zu »überbrücken«, wenn auch ein gewisses Verständnis für die Konflikte des Pflegepersonals – Unterbesetzung und Verursachung von Wäschekosten – angemessen erscheint.

In der Betreuung von alten Menschen ist neben Geduld nicht zuletzt die Qualität der Ansprache entscheidend für Akzeptanz, Verständnis und Kooperation bei entsprechenden Pflegeinterventionen.
Begriffe wie »Pampers« oder »Windel« sind dabei ebenso wenig hilfreich wie fäkalsprachliche Muster. Nicht nur, aber auch die Sprache ist Ausdruck von Respekt vor dem Anderen. Die Würde des alten Menschen sollte auch in einer respektvollen Anrede und Wortwahl zum Ausdruck kommen!

Thomas Boelker

12. Diagnostik der Stuhlinkontinenz

Physiologie der analen Kontinenz

Die anale Kontinenz wird gewährleistet durch den komplex aufgebauten anorektalen Verschlussapparat. Es ist keineswegs so, dass der Schließmuskel allein für die Aufrechterhaltung der Kontinenz zuständig ist. Vielmehr ist das Kontinenzorgan aus unterschiedlichen Einzelkomponenten aufgebaut, die im einwandfreien funktionellen Zusammenspiel den sicheren Abschluss des Darmtrakts gewährleisten.

Die wichtigsten Bestandteile des Kontinenzapparates sind glattmuskuläre und quergestreifte Muskelsysteme (M. sphincter ani internus, M. sphincter ani externus und M. puborectalis). Die muskulären Systeme sind nerval gesteuert, wobei die Auskleidung des Analkanals (Anoderm) als Wahrnehmungsfläche die unterschiedlichen Konsistenzen des Darminhaltes anzeigt. Über die nervale Steuerung werden die Eindrücke bis zum Großhirn übermittelt und von dort aus durch willkürliche Gegenreaktion der quergestreiften Muskulatur beantwortet. Gleichzeitig laufen auf der Ebene des Rückenmarks und lokal in Höhe des Sakralmarks Reflexe ab, die zur unwillkürlichen reflexhaften Steuerung des Kontinenzapparates beitragen. Diese reflexhafte Steuerung erfolgt insbesondere über den glatten M. sphincter ani internus. Er ist in der Lage, durch eine lang anhaltende Dauerkontraktion den Ruhetonus der Schließmuskulatur aufrecht zu erhalten. Die quergestreiften Muskelgruppen des M. sphincter ani externus und des M. puborectalis können eine kurze kräftige Willkürkontraktion durchführen und somit die Kontinenz unter funktioneller Belastung gewährleisten.

Der so genannte anorektale Winkel, also die Abwinkelung zwischen der Achse des Analkanals und der Achse des Mastdarms (um etwa 90°) hat eine zusätzliche Haltefunktion. Der M. puborectalis verstärkt durch seine Kontraktion diesen Winkel und ist darum in der Lage, die »Grobkontinenz« zu gewährleisten. Zusätzlich zu den muskulären Bestandteilen findet sich im oberen Analkanal noch das Corpus cavernosum recti. Hierbei handelt es sich um ein schwellfähiges Gefäßgewebe unterhalb der Schleimhaut. Die Gefäße können sich mit Blut füllen und auf diese Weise das Lumen des oberen Analkanals zusätzlich zur Muskelkontraktion abdichten. Eine krankhafte Vergrößerung dieses physiologischerweise vorhandenen Corpus cavernosum recti führt zum so genannten Hämorrhoidalleiden.

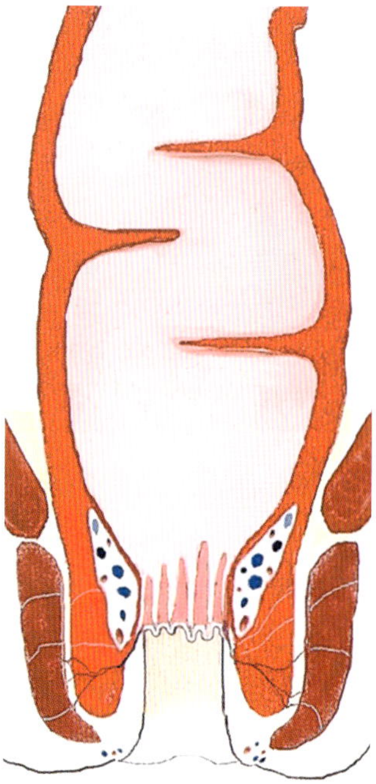

Anatomischer Querschnitt des Anorektums

Häufige Ursachen einer analen Inkontinenz

Störungen des vorgeschalteten Magen-Darm-Trakts sind als die zahlenmäßig häufigsten Ursachen von Kontinenzstörungen anzusehen. Jeder ansonsten Gesunde kann im Rahmen einer massiven Diarrhoe Inkontinenzereignisse erleben, da der Kontinenzapparat von einem massiven Angebot eines sehr flüssigen Darminhaltes schnell überfordert werden kann. Eine weitere häufige Ursache für flüssige Stühle ist neben entzündlichen Erkrankungen des Darmtraktes die Einnahme von Laxantien. Außerdem können Stoffwechselstörungen wie beispielsweise die Hyperthyreose über eine Diarrhoe zu Kontinenzproblemen führen.

Tab.1: Häufige Ursachen einer analen Inkontinenz

sensorisch	*z. B. »Whitehead-Anus«*
muskulär	*z. B. Geburtstrauma, Fisteloperationen*
neurogen	*z. B. zentral, peripher, Diabetes*
Mischformen	*z. B. Rektumprolaps*
funktionell	*z. B. Diarrhoe, Laxantien, Hyperthyreose*
gestörte Reservoirfunktion	*z. B. post-OP, entzündlich psychogen*

Die Kontinenzstörungen im engeren Sinne betreffen die Strukturen des Kontinenzapparates. Zu unterscheiden sind Störungen, die sich an einer einzelnen Komponente des Schließmuskelapparates manifestieren, von denen, die (auch zahlenmäßig häufiger) mehrere Komponenten betreffen.

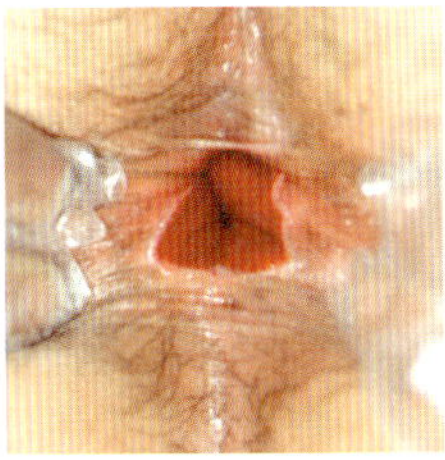

Whitehead-Anus: Bei diesem Patienten wurde eine ultraradikale Hämorrhoidenoperation durchgeführt. Dabei wurde die gesamte Zone des Anoderms abgetragen und die Schleimhaut des Rektums an die äußere Haut genäht. Als Folge besteht eine sensorische Inkontinenz.

Bei einer entzündlichen Veränderung des Anoderms, bzw. beim Fehlen des Anoderms als Folge einer ausgedehnten Hämorrhoidenoperation (sog. »Whitehead-Anus«) ist die sensible Komponente in der Wahrnehmung des Kontinenzvorganges gestört. Wir haben beim kompletten Verlust des Anoderms eine sogenannte sensorische Inkontinenz. Trotz intakter Muskulatur ist der betroffene Patient inkontinent, da die Wahrnehmung des austretenden Stuhls im Bereich des Anoderms nicht gewährleistet ist, sondern erst erfolgt, wenn der Stuhl bereits Kontakt mit der äußeren Haut hat. Dann ist es aber zu spät für eine willkürliche muskuläre Gegenreaktion.

Die muskulären Strukturen des Verschlussorgans können eine Schädigung erleiden. Dies ist nicht selten nach analen Operationen mit einer partiellen Durchtrennung der Muskulatur der Fall (beispielsweise bei Fisteln). Zahlenmäßig häufiger sind aber muskuläre Läsionen als Folge einer Verletzung der Schließmuskulatur im Rahmen einer Entbindung. Es kommt durch die maximale Überdehnung des »vorderen Kompartimentes« des Beckenbodens bei der vaginalen Entbindung zu Zerreißungen der Schließmuskulatur insbesondere im Bereich der »vorderen Kommissur«.

Sehr häufig sind Schädigungen des Schließmuskelapparates als Folge einer Störung der Innervation der quergestreiften Muskulatur. Die Muskulatur mit gestörter Innervation imponiert morphologisch zwar als völlig intakt, die gestörten nervalen Steuerungsmechanismen führen aber selbstverständlich dazu, dass der muskuläre Apparat seine Funktion nicht erfüllen kann. Diskrete Störungen den Kontinenz finden wir sehr häufig im Rahmen einer diabetischen Polyneuropathie oder auch einer traumatischen Schädigung beispielsweise im Rahmen von Wirbelsäulenverletzungen. Zusätzlich kommt es sehr häufig aber auch im Rahmen degenerativer Prozesse des Beckenbodens zu einer schrittweisen Überdehnung der im Beckenbodenniveau verlaufenden *Nervi pudendi*, die für die motorische Steuerung der quergestreiften Beckenbodenmuskulatur und Schließmuskulatur zuständig sind. Senkungszustände und ein forciertes Pressen bei der Defäkation sowie mehrfache Schwangerschaften können zu einer Überdehnung dieser Nervenstrukturen führen. Als Folge davon kommt es zu einer über Jahre hin zunehmenden schrittweisen Denervation der von den Nerven versorgten Muskeln mit entsprechender Funktionseinschränkung. Diese nervale Schädigung stellt die häufigste Inkontinenzursache dar.

Gelegentlich liegen auch komplexe Funktionsstörungen vor. Als klassisches Beispiel einer solchen Störung kann der Rektumprolaps gelten. Beim Rektumprolaps handelt es sich um eine Invagination. Das Rektum drängt von oben her durch den Analkanal nach außen. Dies führt bei längerem Bestehen zu einer zunehmenden Überdehnung der muskulären Strukturen und auch zu einer Überdehnung des Beckenbodens mit den darin verlaufenden *Nervi pudendi*. Gleichzeitig verändert sich der anatomische Aufbau des Rektums mit einer Beeinträchtigung der Reservoirkapazität und durch die Invagination kommt es dazu, dass der austretende Darminhalt keinen Kontakt mit der seitlich gelegenen Perzeptionsfläche des Anoderms bekommt. Als Folge dieser komplexen Störung kommt es im Verlauf der Prolapserkrankung zu einer zunehmenden Insuffizienz des Kontinenzapparates.

Die postoperative Inkontinenz nach tiefer Rektumresektion ist zurückzuführen auf die Verkleinerung des Reservoirs und nervale Beeinträchtigungen. Sie ist im Laufe von Monaten reversibel. Dennoch darf die Häufigkeit dieses Problems nicht unterschätzt werden. Bei einer Anastomosenhöhe unter 5 cm ab der Linea anocutanea erleben 25% der Patienten auch nach 1 Jahr noch nächtliche Defäkationen und bis zu 50% eine Urge-Symptomatik.
Die Entscheidung zu einer tiefen Kontinenzresektion muss diese Probleme und die präoperative Kontinenzsituation im Einzelfall mit berücksichtigen. Die Kontinenz wird zudem auch durch eine adjuvante oder neoadjuvante Radiotherapie beeinträchtigt.

Diagnostik der Stuhlinkontinenz

Die Stuhlinkontinenz berührt einen körperlichen Tabubereich, was dazu führt, dass die Patienten die Symptome zum Teil banalisieren. Aus diesem Grund ist es wichtig, für den ersten Kontakt mit dem Patienten und die nachfolgende Untersuchung ein Klima zu schaffen, das der Angst des Patienten und der notwendigen Enttabuisierung gerecht wird.
Die Standarddiagnostik umfasst neben einer sorgfältigen Anamnese eine klinische Befunderhebung und im Anschluss daran eine unterschiedlich weit auszudehnende instrumentelle Untersuchung.

Anamnese
Durch ein sorgfältiges anamnestisches Erfragen der Halteprobleme ergibt sich eine Klassifikation der im Einzelfall vorhandenen Störung:

Tab. 2: Einteilung der analen Inkontinenz

Grad 1.	*Undicht für Winde*
Grad 2.	*Undicht für Winde und flüssigen Stuhl*
Grad 3.	*Undicht für Winde, flüssigen und festen Stuhl*

Unter klinischen Gesichtspunkten ist aber auch eine Einteilung der Inkontinenzformen nach der Ätiologie möglich (vgl. Tab.1), da sich hieraus unmittelbare Therapieempfehlungen ergeben.

Wichtig sind auch die anamnestischen Fragen nach perianalen Hautsymptomen wie Juckreiz und Brennen, die oft dadurch ausgelöst werden, dass die Haut mit Sekreten aus dem undichten Afterkanal benetzt wird. Des Weiteren ist nach einem Gewebsvorfall aus dem After, den Stuhl- und Ernährungsgewohnheiten und nach der Medikamenteneinnahme zu fragen.

Bei den Fragen zu den Stuhlgewohnheiten interessieren die Konsistenz und die Frequenz sowie insbesondere die Fragen nach einer kurzfristig eingetretenen Änderung. Das letztgenannte Phänomen kann als Hinweis auf paradoxe Diarrhoen im Rahmen einer Tumorobstruktion gewertet werden. Bei den Fragen zur Ernährung können Lebensmittelunverträglichkeiten erkennbar werden, die Durchfälle bedingen und den Konztinenzmechanismus überfordern. Wichtig sind Angaben über vorangegangene Operationen oder Entbindungen, die Rückwirkung auf den Kontinenzapparat haben können.

Körperliche Untersuchung
Die körperliche Untersuchung beginnt mit dem Entkleiden des Patienten. Der Untersucher kann dabei aus der Verschmutzung der Unterwäsche bereits auf eine anale Inkontinenz schließen. Bei der digitalen Untersuchung des Analkanals lässt sich die Funktionsfähigkeit der Schließmuskulatur beurteilen. Zur sicheren Abklärung der Funktionsfähigkeit der Schließmuskulatur ist es erforderlich, die Muskulatur unter den unterschiedlichen Funktionsbedingungen in Ruhe, bei Kontraktion und evtl. auch beim Pressen oder Husten zu beurteilen.

Instrumentelle Untersuchung
Zu unterscheiden ist hierbei zwischen Standarduntersuchungen und weiterführenden Untersuchungen. Zu den Standarduntersuchungen gehören die starren endoskopischen Untersuchungen (Rektoskopie/Proktoskopie). In Verbindung mit der Anamnese und der klinischen bzw. körperlichen Untersuchung lässt sich nach diesen Maßnahmen bei der überwiegenden Zahl der Patienten eine Ursache der Kontinenzstörung und dementsprechend auch ein Therapiekonzept festlegen. Wenn mögliche operative Therapieansätze erkennbar sind, werden sie durch die weiterführenden Untersuchungen der Endosonographie und ggf. Manometrie noch abgesichert bzw. differentialdiagnostisch eingeengt. Wichtig kann die gastroenterologische und neurologische Zusatzuntersuchung sein, um beispielsweise Stoffwechselstörungen und spinale oder höhere Läsionen bzw. Systemerkrankungen auszuschließen.

Die weiterführenden Untersuchungen zur Abklärung einer Stuhlinkontinenz können ein weites Spektrum diagnostischer Maßnahmen umfassen, die darum nicht in der Routine zur Anwendung kommen. Wichtig ist die Endosonographie zur Darstellung von Muskeldefekten.
Die neurologische Untersuchung einschließlich des EMG klärt nervale Ursachen einer Inkontinenz, die ihrerseits die Aussichten operativer Maßnahmen limitieren können. Die anale Druckmessung wird in ihrem Wert im Rahmen der Inkontinenzdiagnostik zumeist überschätzt. Die spezielle Frage eines inneren Prolapsgeschehens erfordert gelegentlich ein Defäkogramm, also die Röntgenaufnahme unter Pressbedingungen.

Dr. Franz Raulf

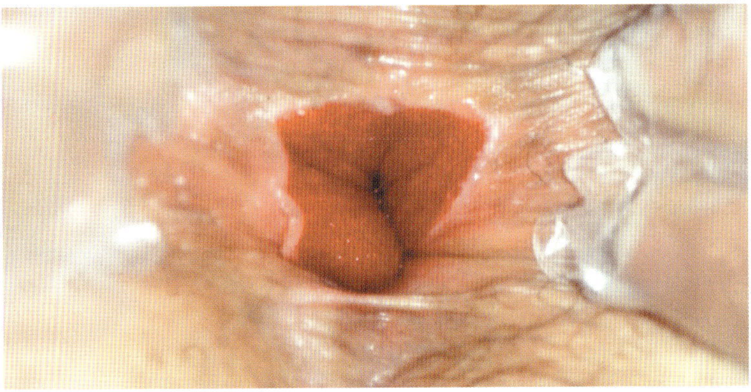

13. Therapie der Stuhlinkontinenz

Bei der Darstellung der Diagnostik wurden häufige Ursachen der analen Inkontinenz aufgelistet. Dabei lässt sich aus der Kenntnis der auslösenden Ursache oft ein Therapiekonzept entwickeln, das entweder die Störung rückgängig macht oder aber durch Maßnahmen an anderen Teilen des Kontinenzorgans oder den Aufbau von Ersatzkomponenten ausgleicht. Ausgehend von der Darstellung der häufigen Ursachen einer Stuhlinkontinenz sollen nachfolgend die etablierten Therapieformen für diese häufigen Störungen skizziert werden. Das Schwergewicht der Darstellung soll dabei auf den operativen Maßnahmen liegen. Die konservativen Maßnahmen einschließlich der übenden Verfahren sollen aufgrund ihrer großen Bedeutung abschließend auch kurz gestreift werden.

Operative Therapie

Die Mehrzahl der inkontinenten Patienten profitiert von einer konservativen Therapie, die aber zumeist eine längerfristige Maßnahme darstellt. Die operative Inkontinenzbehandlung bietet im Gegensatz dazu den Vorteil eines einmaligen Eingriffs mit nachfolgender Besserung. Entscheidend für den Erfolg einer operativen Behandlung der analen Inkontinenz ist die sorgfältige Auswahl der geeigneten Patienten. Einige Störungen des Verschlussapparates können mit sehr gutem Erfolg und kalkulierbarem Risiko operativ angegangen werden. Andere Operationsverfahren werden für eine definierte Indikation empfohlen, die aber dennoch in diesen Fällen nur begrenzte Erfolge zeigen. Aus diesem Grunde erscheint es sinnvoll, die einzelnen Störungen und ihre operative Korrektur zu beschreiben.

Tab. 1: Etablierte operative Therapieformen bei analen Kontinenzstörungen

sensorisch	*Hauttransplantation*
muskulär	*Rekonstruktion*
neurogen	*postanal repair oder ant. Levatorenplastik, sakrale Nervenstimulation?*
Rektumprolaps	*abdominelle Rektopexie, ggf. Zweiteingriff*
Komplexer Schaden	*Dynamische Grazilisplastik, Stomaanlage, artificial-bowel-sphincter*

Sensorische Inkontinenz

Nach fehlerhafterweise zu ausgedehnter Hämorrhoidenoperation kann es zu einem kompletten Verlust der anodermalen Auskleidung des unteren Analkanals kommen, die für die gefühlsvermittelte Komponente der Kontinenz entscheidend ist. Folge ist eine Störung der sensorischen Wahrnehmung des Darminhalts und hierdurch bedingt eine Kontinenzschwäche trotz erhaltener Muskulatur. Das Prinzip der operativen Korrektur besteht darin, dass sensibel versorgte Haut des perianalen Bereiches in den Analkanal transponiert wird. Die operativen Ergebnisse sind gut, sofern es zu einem einwandfreien Einheilen der Hautplastiken kommt.

Muskuläre Inkontinenz

Eine muskulär bedingte Ursache für eine anale Inkontinenz findet sich zumeist aufgrund einer Teildurchtrennung von Anteilen der analen Muskulatur, z. B. im Rahmen eines Dammrisses, einer Episiotomie oder als Folge einer Fisteloperation. Das Grundprinzip der operativen Versorgung eines Muskeldefektes besteht darin, dass die Hautnarbe aufgelöst wird und das vernarbte Muskelgewebe in der Tiefe freigelegt wird. Dabei sind die zu den Seiten hin retrahierten Muskelenden aufzusuchen. Sie werden anschließend wieder zu einem vollen Kreis der zirkulär angeordneten Schließmuskulatur aufgebaut und mit Nähten versorgt. Die Ergebnisse der Muskelrekonstruktion sind abhängig vom Ausmaß des Defektes. Je kleiner der Defekt, um so besser lassen sich die Muskelenden adaptieren und zwar auch noch Jahre nach dem schädigenden Ereignis. Insofern ist bei geburtstraumatischen Defekten statt Resignation immer der Versuch der lokalen Rekonstruktion der Muskulatur angezeigt.

Ansicht der narbig ausgeheilten Dammregion einer Patientin bei Zustand nach Episiotomie mit nachfolgender kompletter Nahtruptur. Man sieht die Episiotomienarbe rechts der Medianlinie. Daneben findet sich in der vorderen Mittellinie eine glatte Zone der Haut ohne Faltenbildungen. Dies lässt darauf schließen, dass die darunter befindliche Muskulatur dehiszent ist, da sie ansonsten die Haut in Falten halten würde.

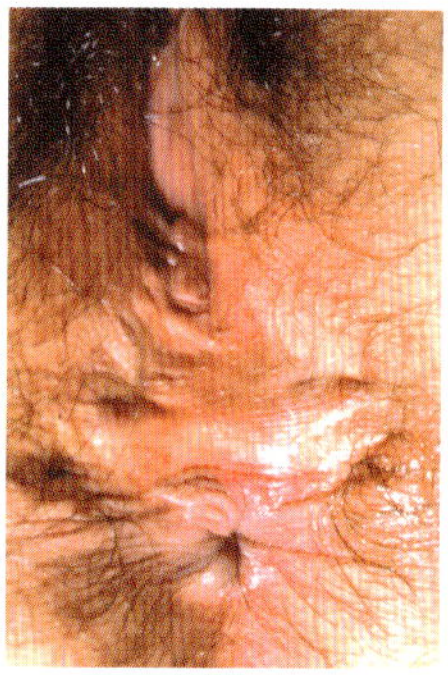

Neurogene Inkontinenz

Die zahlenmäßig große Gruppe der Patienten mit einer neurogenen analen Kontinenzstörung ist nur mit eingeschränkten Chancen operativ behandelbar. Bei neurogen induzierter Schwäche der Schließmuskulatur (entweder aufgrund eines Traktionsschadens des Nervus pudendus oder z. B. im Rahmen einer diabetischen Polyneuropathie) werden zwei Operationsverfahren angegeben, die entweder als sogenannte postanal repair oder als anteriore Levatorenplastik die Schließmuskulatur durch Nähte einengen. Dadurch wird ein besseres muskuläres Widerlager gebildet und der Analkanal etwas verlängert mit entsprechender Verbesserung der Vorwarnperiode. Eine kausale Therapie der zu Grunde liegenden Nervenschädigung ist auf diese Weise aber nicht erreichbar. Insofern sind die operativen Ergebnisse nicht immer zufrieden stellend. Möglicherweise bietet sich im Einzelfall eine Indikation zur sakralen Nervenstimulation.

Rektumprolaps

Beim Rektumprolaps führen unterschiedliche Störungen des komplexen analen Verschlussapparates zum Gesamtproblem der analen Inkontinenz. Dennoch ist der entscheidende Therapieschritt zunächst die Beseitigung des Prolaps durch Anhebung des Rektums und Fixation im Bereich des Abdomens. Diese abdominelle Rektopexie ist beim nachgewiesenen manifesten Rektumprolaps des Erwachsenen immer indiziert, nicht zuletzt auch, um einer weiteren Zunahme der mit dem Prolaps verbundenen Inkontinenz entgegen zu wirken. Durch die abdominelle Rektopexie werden etwa 70% der Patienten wieder hinreichend kontinent. Bei einer anhaltenden Kontinenzschwäche stellt sich die Frage einer Sphinkterraffung als Zweiteingriff (entweder als anteriore Levatorenplastik oder als postanal repair).

Das Rektum ist infolge einer Invagination aus dem Analkanal heraus getreten. Der Analkanal nimmt an der Ausstülpung nicht teil. Die Form eines solchen Rektumprolaps erinnert an einen Bienenkorb. Diese Form unterscheidet ihn vom Analprolaps.

Bei eingeschränkter Operabilität des älteren Menschen kommen transanale Operationsverfahren zur Anwendung (Mukosaresektion nach *Rehn-Delorme*, perineale Rektumresektion nach *Altemeier*). Sie beseitigen den Prolaps, führen aber nicht immer zur Besserung einer gleichzeitig bestehenden Inkontinenz.

Schließmuskelersatz

Beim Versagen der bisher beschriebenen Therapiemaßnahmen oder beim Komplexschaden, wie z. B. einem sehr großen Muskeldefekt mit gleichzeitiger Nervenschädigung, beispielsweise als Folge eines ausgedehnten Beckentraumas, kann sich die Indikation zur Schließmuskelersatzplastik ergeben. In den letzten Jahren sind dabei zwei Verfahren favorisiert worden.

Die dynamische Grazilisplastik fußt auf der seit den 1950er Jahren für die angeborenen Formen der analen Inkontinenz empfohlenen Transposition des M. gracilis. Der Muskel wird am Oberschenkel gelöst und als eine Schlinge um den Analkanal gelegt. Zusätzlich wird ein Stimulator am transponierten Muskel platziert und dieser dauerhaft stimuliert. Auf diese Weise erwirbt der Muskel die Fähigkeit einer statischen, länger dauernden Kontraktion. Zur Defäkation muss der Patient mit einem externen Magnet den Stimulator abschalten und ihn dann nach erfolgter Defäktion wieder anschalten.

Der *artificial-bowel-sphincter* (ABS) stellt ebenfalls eine technische Lösung einer Kontinenzbarriere des Analkanals dar. Aus einem flüssigkeitsgefüllten Reservoir wird eine Manschette gefüllt, die um den Analkanal herum im subkutanen Gewebe eingelegt wird. Hierdurch kommt es zum Aufbau einer analen Hochdruckzone. Zur Defäkation muss die Manschette über ein Ventil mit einer Pumpe entleert werden. Die Flüssigkeit fließt zurück in das Reservoir. Bei entsprechender Druckzunahme im Reservoir kommt es dann nach der Defäkation wieder zu einem spontanen Rückfluss in die perianal liegende Manschette.

Beide Verfahren setzen ein besonderes Verständnis des betroffenen Patienten voraus und eignen sich darum nicht in allen Fällen. Zudem sind sie mit besonders hohen Kosten verbunden. Bei beiden Verfahren muss als zusätzliches Problem die mögliche Infektionsgefahr durch das eingebrachte Fremdkörpermaterial einkalkuliert werden.

Zusammenfassend muss gesagt werden, dass Kontinenz verbessernde Operationen, die Fremdkörpermaterial verwenden, erst zur Anwendung kommen sollten, wenn alle sonstigen operativen und konservativen Therapieverfahren ausgeschöpft sind. Die Verwendung von Fremdkörpermaterialien birgt die Gefahr von Infektionen oder Unverträglichkeitsreaktionen in sich, die zu Folgeeingriffen am Implantat führen können.

Als letzte Neuentwicklung ist die sakrale Nervenstimulation zu erwähnen. Von der Idee her erscheint dieses Verfahren besonders geeignet zur Behandlung der neurogenen Inkontinenz. Die Nervenbahn ist in diesen Fällen noch vorhanden, die Nerven sind aufgrund des Dehnungsschadens lediglich in ihrer Binnenstruktur gestört. Das Verfahren beruht darauf, dass an den Nervenaustrittstellen am Kreuzbein Stimulationselektroden gelegt werden, die dann zu einer Dauerkontraktion der Muskulatur führen. Bei diesem Verfahren wird die Fremdkörperimplantation also weit entfernt vom Afterkanal vorgenommen. Dennoch wurde diese operative Technik bisher nur bei einer kleinen Gruppe von Patienten eingesetzt.

Grenzen der operativen Therapie

Die letztgenannte falsche Erwartung einer kompletten Wiederherstellung muss als wichtige Grenze des operativ Erreichbaren gesehen werden. Sowohl der Patient als auch der nicht hinreichend erfahrene Arzt können durch eine falsche Erwartungshaltung enttäuscht werden. Wichtig ist die zurückhaltende Indikationsstellung und die faire Aufklärung des Patienten beispielsweise bei der neurogenen Inkontinenz.

Große Muskeldefekte und eine gleichzeitig bestehende neurogene Inkontinenz limitieren den operativen Erfolg. Unter Umständen kann die vorübergehende Anlage eines Stomas das Gelingen des Eingriffs fördern. Das bedeutet aber, dass mehrere operative Eingriffe erforderlich sind, für die eine besondere Motivation des Patienten erforderlich ist. Kontinenz verbessernde Eingriffe stellen in der Chirurgie zahlenmäßig nur ein marginales Problem dar. Um so wichtiger ist eine entsprechende Erfahrung seitens des Operateurs. Die Sphinktterersatzplastiken bedingen einen erheblichen finanziellen Aufwand, den die Kostenträger in der gegenwärtigen Situation des Gesundheitswesens scheuen. Im geeigneten Fall sind darum zeitaufwändige Verhandlungen erforderlich, die aber zum Wohl des Betroffenen unternommen werden sollten.

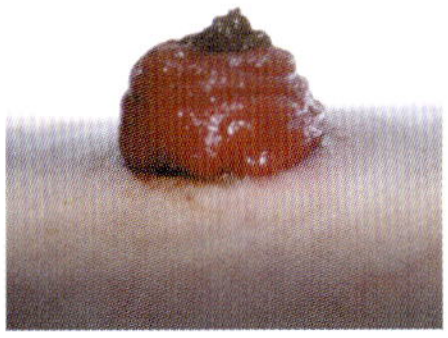
Ein »lege artis« prominent angelegtes Stoma ist eine Alternative!

In Wertung der Grenzen der operativen Inkontinenztherapie darf abschließend angemerkt werden, dass nach wie vor ein technisch perfekt angelegtes Stoma als eine gute Option – nicht zuletzt im Sinne der Verbesserung der Lebensqualität – beim Versagen der Standardoperationsverfahren angesehen werden kann. Dabei sollte die Stomaanlage sorgfältig geplant werden und der Patient postoperativ ebenso wie auf lange Sicht professionell (von Stomatherapeuten) betreut werden

Da ein Stoma auch per Irrigation versorgt werden kann, stellt diese Maßnahme de facto auch eine Option im Sinne der Kontinenzförderung dar!

Fazit

Grundsätzlich gilt, dass der konservativen Behandlung ein überragender Wert in der Behandlung der analen Inkontinenz zukommt. Klare Operationsindikationen sind aber andererseits der Verlust des sensiblen Anoderms, der reparable Muskeldefekt sowie der manifeste Rektumprolaps. Hier wird durch vorgeschaltete konservative Therapie nur Zeit verloren und die Lebensqualität des betroffenen Patienten unnötig strapaziert.

Grundsätzlich muss für die Entscheidung zu operativen Verfahren analer Inkontinenz auch angemerkt werden, dass man nicht davon ausgehen kann, ein perfektes Ergebnis im Sinne einer *restitutio ad integrum* zu erreichen. Dennoch kann eine partielle Verbesserung der Kontinenzstörung für die soziale Integration des Betroffenen und für seine subjektiv empfundene Lebensqualität von erheblicher Bedeutung sein.

Konservative Therapie der analen Inkontinenz

Die konservative Therapie der analen Inkontinenz stützt sich auf mehrere Säulen. Zum einen wird dem Patienten eine Beratung bezüglich einer möglichen Problemlösung gegeben und zum anderen gibt es Ansätze zu einer medikamentösen Therapie. Als Drittes wird eine passive und aktive Übungsbehandlung unter Anleitung durchgeführt, die letztendlich in ein lebenslanges aktives Training des Patienten übergehen muss.

Die Beratung des Patienten beginnt mit einer genauen Erhebung der Vorgeschichte. Ein Hilfsangebot zur Problemlösung stützt sich auf Empfehlungen hinsichtlich der anamnestisch verifizierten möglichen Angriffspunkte. Zunächst muss die bevorzugte Kostform erfragt werden.
Bei eingeschränkter Kontinenzleistung ist es zumeist sinnvoll, eine eher schlackenarme Kost einzuhalten als eine schlackenreiche. Die additive Gabe von Flüssigkeit bindenden Schlackenstoffen ist im Einzelfall in ihrer Wirkung zu überprüfen Der Patient muss darauf aufmerksam gemacht werden, dass es **nicht** notwendig ist, regelmäßig 1 mal täglich eine Stuhlentleerung zu haben. Unter einer Änderung des Ernährungsregimes zugunsten einer schlackenarmen Kost ist mit selteneren Entleerungen zu rechnen, die dann auch entsprechend seltener Inkontinenzepisoden bedingen. Die Angst des Patienten vor einer schädigenden Wirkung einer zu seltenen Stuhlentleerung (Stuhlvergiftung!) ist immer noch vorhanden und sollte im Beratungsgespräch verbalisiert werden.

Eine medikamentöse Therapie beschränkt sich bei der Behandlung der analen Inkontinenz im wesentlichen auf Medikamente zur Motilitätshemmung. Dass Laxanzien und so genannte »Weichmacher« des Stuhles bei einer Kontinenzschwäche kontraindiziert sind, versteht sich von selbst, wenngleich dies therapeutisch oftmals falsch gemacht wird.

In geeigneten Fällen können zusätzlich Analtampons verordnet werden. Hierbei handelt es sich um Tampons unterschiedlicher Größe und Form, die entsprechend der individuellen anatomischen Konfiguration des Analkanals eingesetzt werden können und die sich dann durch die Körperwärme und aus dem unteren Rektum aufgesaugte Flüssigkeit ausdehnen und so den Analkanal blockieren. Dabei stellt sich als besonderes Problem dar, dass die Tampons gelegentlich aufgrund der Fremdkörperirritation des Analkanals nicht toleriert werden. So sind diese Analtampons nicht generell zu empfehlen, sondern sie müssen individuell ausprobiert werden.

Ein passives und aktives Training der Schließmuskulatur, das nach einer entsprechenden Lernphase vom Patienten eigenständig als ein lebenslanges Training fortgeführt wird, stellt eine weitere wesentliche Säule der konservativen Inkontinenzbehandlung dar. Da die Kontinenzdefizite, wie oben erwähnt, ganz unterschiedliche Ursachen haben können, lässt sich nicht pauschal sagen, dass jedem betroffenen Patienten mit einem so genannten Sphinktertraining geholfen werden kann.
Nicht selten haben die Patienten neben einer motorischen Schwäche auch sensorische Defizite bzw. sie haben in ihrem Verhalten bei der Defäkation verlernt, die richtigen Muskelgruppen zur Aufrechterhaltung der Verschlussleistung zu aktivieren. Schon bei der klinischen Untersuchung fällt auf, dass der Patient bei der Aufforderung zum Kneifen zunächst beispielsweise nur die auxiliäre Glutealmuskulatur betätigt. Bei wiederholter Aufforderung zur Kontraktion unter digitaler Bewusstmachung, dass die anale Muskulatur zu aktivieren ist, gelingt es diesen Patienten dann, eine gewisse Aktivität in der analen Muskulatur aufzubauen. Diese übende Behandlung sollte möglichst häufig unter Anleitung eines kompetenten Physiotherapeuten erfolgen. Es ist nicht ausreichend, dem Patienten durch den Arzt einfach nur den Hinweis zu geben, dass er regelmäßig Kontraktionsübungen durchführen soll. Die Anleitung durch einen Physiotherapeuten vermag binnen kurzer Zeit beim Patienten das Bewusstsein zu schärfen, wie die Übungen durchzuführen sind. Längere Zeiten einer ineffizienten Übungsbehandlung mit Frustration des Patienten werden dann vermieden.

Es kann im Einzelfall sinnvoll sein, im Rahmen der Übungsbehandlung initial eine Elektrostimulation mittels Schwellstrom durchzuführen. Anschließend ist ein Biofeedback-Training sinnvoll. Hierzu finden sich in der Literatur zahlreiche Studien, die aber nicht den Kriterien einer evidenzbasierten Medizin standhalten. Das Biofeedback-Training sollte in ein festes Programm mit einem definierten Trainingsablauf eingebaut sein. Dies erfordert intensive Kontrollen durch Therapeuten.

Dr. Franz Raulf

14. Von Fall zu Fall II

oder: die eine so – die andere so ...

Stuhlinkontinenz bei MS

Frau Bach – der Name ist natürlich geändert! – ist 67 Jahre alt, bedingt durch eine Multiple Sklerose pflegebedürftig und wohnt im Pflegeheim. Eine Teilmobilisation aus dem Bett in den Rollstuhl bei einer gleichzeitigen maximalen Gehstrecke von 3 Metern ist möglich. Die Blase entleert sich spontan in die aufsaugende Versorgung. Es zeigen sich rezidivierende Harnwegsinfekte mit E. Coli bei manifester Stuhlinkontinenz. Trotz des täglich mehrfachen unfreiwilligen Abgangs von Stuhl klagt Frau B. zusätzlich über ein ständig überblähtes Abdomen.

Aus der Pflegedokumentation wird ersichtlich, dass die Stuhlinkontinenz akribisch dokumentiert wurde, so auch die mit der Antibiotikagabe in Verbindung stehende Konsistenzveränderung bis hin zu wässrigen Durchfällen. Bei der täglichen Pflege werden bis zu fünf Wechsel der aufsaugenden Versorgung inklusive der Körperpflege erforderlich. Wegen der Unbeherrschbarkeit der Stuhlinkontinenz wird die Anlage einer Kolostomie in Erwägung gezogen.

Im Rahmen der medizinischen Diagnostik wird bei Frau Bach, bedingt durch die Multiple Sklerose, eine Stuhlentleerungsstörung, die sich als Überlaufinkontinenz darstellte, gesichert. Die Patientin wird daraufhin auf das Verfahren der transanalen Irrigation eingestellt und somit eine vollständige Stuhlentleerung erreicht. Auch die Überblähung des Abdomens kann behoben werden.

Die Harnwegsinfektionen werden durch einen suprapubischen Katheter ebenso reduziert wie die Pflegebedürftigkeit, da von den Pflegenden nur noch alle zwei Tage eine Stuhlentleerung per Irrigation einzuleiten ist. Weitere unterstützende Maßnahmen sind eine Ernährungsberatung im Sinne einer Förderung der ballaststoffreichen Nahrung und eine Information und Anleitung zur Regulation der Trinkmenge: trinkt der Betroffene nämlich zu wenig, reduziert sich die Flüssigkeit im Darm mit der Konsequenz, dass die irrigierte Wassermenge großem Maße absorbiert wird und eine Darmentleerung ausbleibt.

Dietmar Hegeholz

Stuhlinkontinenz nach vier Geburten

Frau Müller – der Name ist natürlich auch geändert – ist seit 1 Jahr Stomaträgerin. Das endständige Stoma im tiefen Colon descendens wurde ihr nach einer Divertikulitis im Zuge der nachfolgenden Sigmaresektion angelegt, und zwar auf eigenen Wunsch – wie sie im Gespräch betont – nicht temporär, sondern definitiv! Frau Müller merkt an: »Das machen die wohl nicht so gerne, die Ärzte ...«

Die ärztliche Aufklärung hatte in ihr Zweifel aufkommen lassen, ob nicht weitere Operationen erforderlich werden könnten, wenn ... »das da unten dann nicht richtig funktionieren würde« und überhaupt habe sie »da unten schon lange Probleme ...«

Plötzlich bricht es aus ihr heraus: Frau Müller hatte 4 Kinder zur Welt gebracht, das letzte vor 35 Jahren, und dabei vermutlich wiederholt mit Dammriss unter der Geburt. Seit dieser Zeit war sie stuhlinkontinent - der Analsphinkter war völlig insuffizient geworden! Auf meine Nachfrage »wie das dann so ging?« sagt sie: »Na ja, das musste halt irgendwie weitergehen, keiner hat mir was gesagt ...«
Und wie so viele ergab sie sich ihrem Schicksal. Interessierte, nachspürende Gespräche hat sie später weder mit Ärzten noch mit Pflegenden gehabt. Es ging halt so weiter, mehr schlecht als recht all die Jahre und mit den Jahren eben immer schlechter ... Lebensqualität hat sie wohl kaum gehabt – soviel wird mir im Gespräch mit ihr schnell deutlich!

Frau Müller entschied sich für »offenen Widerstand« gegen ärztlichen Rat. Das war nicht einfach mutig, das war nackte Angst und Verzweiflung, denn Frau Müller wollte keine Experimente mehr – sie wollte den Schlussstrich unter ihren Leidensweg ziehen!
Heute irrigiert Frau Müller alle 48 Stunden, d. h. sie hat im Regelfall 48 Stunden ausscheidungsfreie Zeit – eine wahrhaft **Kontinenz fördernde Maßnahme**, und nur noch ein Minibeutel zur Sicherheit!

Thomas Boelker

15. Lebensqualität ist die Maxime!

Pflegerische Optionen bei Stuhlinkontinenz

Die pflegerischen Interventionen bei Stuhlinkontinenz richten sich nach der Patientenmobilität, der Pflegebedürftigkeit und der Inkontinenzursache. Bei mobilen, aktiven Patienten wird das Erreichen einer kontinenten Phase das Hauptziel der nichtoperativen Maßnahmen sein. Analtampons, Klysmen oder Einläufe sind für die genannte Patientengruppe Möglichkeiten des Darmmanagements. Bei diesen Methoden wird weniger der Auslöser für die Kontinenzproblematik behoben, vielmehr bieten sie Mittel und Wege zur Verbesserung der Lebensqualität.
Zwei weitere Effekte der »kontinenten« Phase sind erwähnenswert: eine leichtere und schnellere Abheilung von analen Hautproblemen wird möglich, und es werden weniger aufsaugende Hilfsmittel gebraucht.

Klysmen

Die regelmäßige Anwendung von Klysmen oder anderen peranal verabreichten Laxantien ist indiziert bei obstipationsbedingter Inkontinenz. Gerade bei älteren, pflegebedürftigen Menschen kann ein im Rektum liegender Kotstein der Auslöser für Kontinenzprobleme in Form von Schmierstühlen sein. Der Kotstein reizt zum einen die Rektumschleimhaut, sodass die Schleimsekretion angeregt wird. Zum anderen kann es auf diese Weise zur »paradoxen Diarrhoe« kommen – es fließt von oben nachlaufender flüssigerer Stuhl am Kotstein vorbei und führt zur Inkontinenz. Mit einer ein- bis zweimaligen Klysmagabe sollte der Kotstein aufgeweicht und entleert werden können. Bei hartnäckigen Fällen kann eine digitale Ausräumung notwendig werden.

Rezeptpflichtige Fertigklysmen sind allerdings nicht zur dauerhaften Anwendung geeignet. Bei langfristigem Einsatz sollte deshalb ausprobiert werden, ob regelmäßige Klysmengaben mittels einer mit normalem, körperwarmen Wasser gefüllte Klystier- oder Birnenspritze aus dem Sanitätsfachhandel ausreichend sind, um eine obstipationsbedingte Inkontinenz zu beheben bzw. ihr vorzubeugen. Zudem sollten bei chronischer Obstipation die Flüssigkeitszufuhr und Ernährung optimiert werden.

Die regelmäßige Klysmengabe kann auch bei den anderen Formen der Inkontinenz, bei denen bereits ein gut geleertes Rektum die Beschwerden verschwinden lässt, zum Einsatz kommen.

In jedem Fall muss die Klysma-Therapie zuvor mit dem Arzt besprochen werden. Kontraindikationen sind Entzündungen, Engstellen und unter Umständen vorausgegangene Operationen im After- und Enddarmbereich.

Anale Irrigation

Ein leicht erlernbares Verfahren zur Verbesserung der Lebensqualität von **aktiven** Betroffenen ist die »anale« oder »rektale« Irrigation. Die Irrigationsmethode wird primär bei Kolostomaträgern eingesetzt, um eine »kontinente« Phase des Kolostomas von 24 oder 48 Stunden zu erzielen. Weniger bekannt ist das Irrigationsverfahren über den Anus, obwohl es inhaltlich kaum Unterschiede zur Irrigation über ein Kolostoma gibt.

Bei jeder Irrigation ist die Motivation des Betroffenen zur Selbstbehandlung oberste Voraussetzung. Das Verfahren eignet sich **nicht** für unmotivierte und unselbstständige Patienten.

Terminologie

Das Wort »Irrigation« hat seinen Ursprung im Lateinischen (»Irrigatio«) und heißt übersetzt »Bewässerung«. Bei der hier vorgestellten Irrigation handelt es sich um eine großzügige retrograde Bewässerung des Darmes, wobei vom Rektum beginnend das Kolon über das sigmoideum und descendens bis maximal hin zum transversum gespült wird. Erfolgt die Irrigation über den natürlichen Anus, spricht man von der »analen« oder »transanalen Irrigation« oder von »retrograder Darmspülung«.

Auswirkungen der Irrigation

Die Irrigation ist eine Methode zur gezielten Entleerung des Kolons und Rektums mit dem Ziel einer ausscheidungsfreien Phase von wenigstens 12, meistens 24 bis 48 Stunden. In diese Zeit sollte der Patient von seinen Beschwerden befreit sein, sodass er wieder sorgloser am gesellschaftlichen

Leben teilnehmen kann. Mittels der Irrigation soll er die Kontrolle über seine Darmausscheidungen wiedererlangen und ungewollten Abgang von Darmgasen vermeiden können. Letztendlich wird auch die Zeit, die der Inkontinente nun auf oder in der Nähe einer Toilette verbringt, spürbar reduziert. Summa summarum gewinnt er also deutlich an **Lebensqualität!**

Voraussetzungen

Der Betroffene sollte das Verfahren nach der Einweisungsphase selbstständig durchführen können und wollen. Dieser Aspekt sollte bei der Evaluation unbedingt Berücksichtigung finden.

Im Regelfall erfolgen zunächst die Diagnostik und Indikationsstellung durch den Proktologen. Ist der Betroffene mit dem Verfahren einverstanden und liegt eine schriftliche Anordnung des behandelnden Arztes vor, kann mit der Einweisung durch eine spezialisierte Pflegekraft begonnen werden. Diese Fachkraft sollte aus eigenem Interesse zuvor eine Pflegeanamnese erstellen und die Kontraindikationen abfragen.

Spezielle sanitäre Voraussetzungen sind nicht erforderlich. Während der Instruktionsphase des Patienten sollte eine geräumige Toilette (z. B. Behinderten-WC) genutzt werden können. Optimalerweise erfolgt die Einweisung unter klinischen Bedingungen.

Einsatzgebiete

Die Irrigationsmethode kann bei sensorisch-, muskulär-, nerval- und obstipationsbedingter Stuhlinkontinenz eingesetzt werden. Weiterhin findet sie Einsatz bei operationsbedingtem Verlust oder Verminderung des Rektumreservoirs, wie z. B. nach einer Rektumresektion.

Im Behandlungsschema von Stuhlinkontinenten findet sie ihren Platz vor den operativen Therapien wie z. B. einer therapeutischen Stomaanlage oder aufwendigen rekonstruktiven Eingriffen.

Risiken

Die Irrigation ist nach sorgfältiger Evaluation des Anwenders eine risikoarme und nebenwirkungsfreie Methode. Sie kann über Jahre hinweg angewendet werden.

Wird ein Konus oder ein spezieller, kurzstreckiger Rektalkatheter verwendet, ist das Perforationsrisiko äußerst gering, bei Einsatz von »klassischen« Darmrohren kann es aber nicht ausgeschlossen werden. Riskant ist außerdem die Spülung mit mehr als 1,5 Litern und die Spülung mit einer anderen Flüssigkeit als Wasser.

Kontraindikationen

Der Ausschluss von Kontraindikationen erfolgt vom behandelnden Arzt. Diese sind:

- Stenosen im Kolon oder Rektum
- Kolondivertikel
- Reizdarm
- Vorhandener Tumor
- Chronisch entzündliche Darmmerkrankungen (Morbus Crohn, Colitis ulcerosa)
- Strahlencolitis bzw. – proktitis
- Fortgeschrittenes Hämorrhoidalleiden
- Schwangerschaft

Ein Spastischer Analsphinkter stellt eine relative Kontraindikation dar, sofern die Passage gewaltfrei möglich ist.

Pflegeanamnese

Eine Irrigationseinweisung ist eine therapeutische Maßnahme. Die einweisende Pflegekraft sollte anhand einer Pflegeanamnese folgende Punkte evaluieren:

a) Mögliche Fragen zum Ausschluss von (relativen) Kontraindikationen können sein:

- Trinkt der Patient pro Tag 2 bis 2,5 Liter? Zuwenig Flüssigkeitsaufnahme kann zur Resorption von Spülwasser führen und damit den Erfolg der Irrigation beeinträchtigen! Außerdem besteht die Gefahr eines Kreislaufkollapses!
- Hat der Patient einen labilen Kreislauf? Vorsicht besonders bei der ersten Irrigation! Kollapsgefahr!
- Hat der Patient Herz-Erkrankungen, die bei Einsetzen des gastrokolischen Reflexes mit anschließender Massenperistaltik zu Problemen führen? Vorsicht besonders bei der ersten Irrigation! Kollapsgefahr!
- Hat der Patient Voroperationen am Bauch, speziell am Darm (Rektum oder Anus)?
- Waren diese Informationen bei Indikationsstellung bekannt? Welche OPs sind vorausgegangen? Sind störende Verwachsungen möglich? (ggf. Rücksprache mit dem Arzt halten!)
- Überlegung: Was ist in dem speziellen Fall besser: der Einsatz eines Konus oder von Rektalkathetern?

b) Mögliche Fragen zur Beurteilung, ob die Irrigation die geeignete Methode für den Betroffenen ist:

- Ist der Patienten beim Toilettengang selbstständig?
- Wie viele Personen nutzen außer dem Betroffenen die Toilette in der häuslichen Gemeinschaft? Sind Probleme hinsichtlich der längeren Besetzung möglich?
- Hat der Betroffene einen gleichmäßigen Tagesablauf (Arbeiten, Schlafen, Essen, Ausscheiden)?
- Liegen Einschränkungen in der Fingerfertigkeit oder in der Mobilität der Hände vor? (Systemhandhabung)
- Hat der Patient Hautprobleme am Anus? In diesem Fall sollte man bei der Irrigation ausreichend viel Gleitmittel evtl. vorübergehend mit Lokalanästhesie verwenden! Außerdem sollte man Tipps zum Hautschutz und zur Hautpflege geben.

Erst nach diesem Gespräch mit dem Betroffenen wird ihm die Verordnung für das Irrigationssystem ausgehändigt und der optimale Zeitpunkt für die Einweisung gesucht.

Das Equipment

Für die anale Irrigation stehen diverse Hilfsmittel zur Verfügung. Die einfachste und kostengünstigste Variante ist die Verwendung eines Spülbehälters aus der Stomaversorgung, der mit einem Schlauchsystem und einem Konus konnektiert ist. Der Einlauf des Wassers erfolgt durch die Schwerkraft, wenn der gefüllte Spülbehälter mindestens auf Kopfhöhe des sitzenden Patienten hängt **(Schwerkraftsystem)**. Solche Systeme sind von den meisten Herstellern von Stomaversorgungsprodukten erhältlich. Für einen Teil der Patienten ist dieses Hilfsmittel jedoch in der Anwendung nicht optimal oder es führt nicht völlig zum gewünschten Effekt.

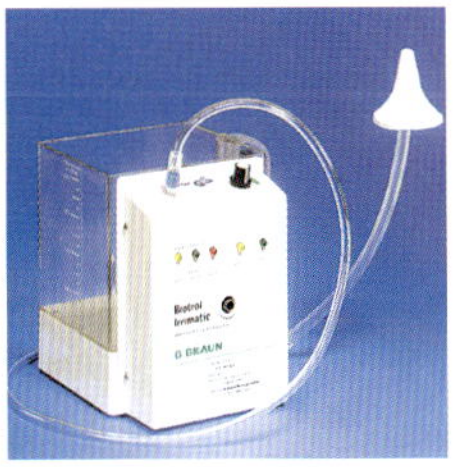

Als Alternative stehen dafür zwei weitere, neuere Systeme zur Verfügung: Zum einen ist eine elektrisch betriebene **Irrigationspumpe** (Irrimatic R® von B. Braun Medicare) erhältlich. Die Pumpe erleichtert für manuell eingeschränkte Patienten das Einlaufverfahren und ermöglicht eine dosierte Steuerung des Einlaufdrucks. Sie kann selbst vom Boden aus genügend Druck für die Irrigation aufbauen, dafür ist sie sperriger und teurer in der Anschaffung. Sie arbeitet mit einem Akku und kann mit einem Konus oder speziellen Rektalkatheter-Sets (ReClean®) angewendet werden. Nach 2jährigem Einsatz der elektrischen Pumpe haben sich aber die höheren Anschaffungskosten gegenüber dem einfachen Spülsystem amortisiert.

Alternativ bietet die Firma Coloplast ein spezielles **schwerkraftunabhängiges System mit Druckausgleichssteuerung** und hydrophilen Einmal-Rektalkathetern zum Blocken (Peristeen® Anale Irrigation – s. Foto rechts) an.

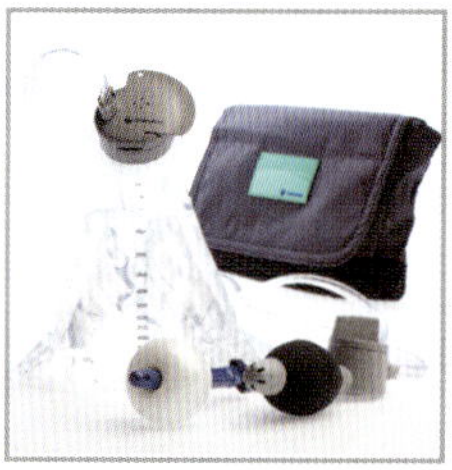

Das Wasser

Unabhängig davon, welches der 3 Systeme eingesetzt wird, sind immer die Wasserqualität und die richtige Temperatur sehr wichtig. Für die Irrigation wird normales Leitungswasser mit einer Temperatur von Minimum 37° bis Maximum 38°C verwendet. Die Qualität des Wassers entspricht den Anforderungen an Trinkwasser. Sollte die Wasserqualität fraglich sein, so empfiehlt es sich, das Wasser vor der Verwendung abzukochen und abkühlen zu lassen. Der Irrigationserfolg beruht auf dem Prinzip, dass durch eine großzügige Bewässerung gezielt eine Massenperistaltik und die darauf folgende Massenentleerung provoziert wird. Demnach werden dem Spülwasser keine Stuhl aufweichenden oder laxantiven Substanzen, wie bspw. Glycerin beigemischt. Somit kann das Verfahren über viele Jahre lang bedenkenlos angewendet werden.

Die benötigte Wassermenge beträgt zwischen 500 bis 1200 ml bei Erwachsenen, bei Kindern sollte die Wassermenge vom behandelnden Arzt festgelegt werden. Die passende Wassermenge ist über das Körpergewicht ermittelbar (maximal 20 ml pro Kilogramm Körpergewicht), wobei die tatsächliche Obergrenze auf jeden Fall durch die Toleranz des Patienten und weniger durch Rechnungen bestimmt wird. **Prinzipiell** aber sollten auf keinen Fall mehr als 1500 ml Wasser auf einmal in den Darm gespült werden!

Der Irrigationsvorgang

Der Patient sollte von einer spezialisierten Pflegekraft in die Praxis der Irrigation eingewiesen werden. Zum einen muss er die Handhabung des Systems kennen lernen und zum anderen die Einlauftechnik üben. Es empfiehlt sich daher gemeinsam mit dem Betroffenen 2 bis 3 mal die Spülung durchzuführen, bevor er das Verfahren alleine einsetzt. Ergänzend sollte er schriftliche Instruktionen und Informationen an die Hand bekommen.

Im Folgenden wird die Technik schrittweise erklärt:

1. Das Wasser wird in den Spülbehälter gefüllt
2. Beim Schwerkraftsystem wird der Spülbehälter in Toilettennähe auf Kopfhöhe aufgehängt. Die Pumpe oder der Peristeen® Wasserbehälter werden auf festen Untergrund in Toilettennähe gestellt.

3 Das System wird entlüftet.
4 Der Konus oder Katheter wird mit Vaseline oder ähnlichem gleitfähig gemacht (Ausnahme: hydrophile Einmal-Rektalkatheter bei Peristeen®)
5 Der Patient nimmt auf der Toilette Platz und führt den Rektalkatheter in das Rektum oder den Konus ca. 1 bis 2 cm in den Anus ein. und hält diesen fest.
6 Bei Peristeen® wird der Rektalkatheter geblockt.
7 Der Wassereinlauf wird gestartet und kann auf 5 Minuten verteilt werden. Die einzelnen Wasserportionen werden jedoch nicht sofort ausgeschieden, sondern sollten sich nach und nach im Darm verteilen. Dabei sollte möglichst kein Einlaufwasser am Konus oder Katheter vorbei aus dem Darm herauslaufen.
8 Bei Peristeen® wird der Katheter entblockt.
9 Der Konus oder Katheter wird aus dem Darm entfernt.
10 Die Darmentleerung setzt selbstständig, meist unmittelbar danach, ein.
11 Die Entleerungszeit ist individuell verschieden und kann bis zu 30 Minuten betragen.
12 Das Spülsystem wird danach vollständig entleert, der Konus oder Katheter mit Seife und ggf. Bürste gereinigt. Der Einmal-Rektalkatheter wird entsorgt.
13 Das System wird an der Luft getrocknet.

Zu beachten sind darüber hinaus die genauen Produktinformationen der Hersteller!

Nach der Spülung sollte der Patient eine Kontinenzphase von wenigstens 12 Stunden haben. Andernfalls stehen Aufwand und Nutzen in einem schlechten Verhältnis.

Das Intervall und der Zeitpunkt

Bei der Irrigation eines Stuhlinkontinenten sollte das Spülintervall vom behandelnden Arzt festgelegt werden. Je nach Krankheitsursache, Dauer der Therapie, Darmverlauf und –länge und evtl. weiteren Faktoren kann die Spülung nach 12 Stunden, 24 oder 48 Stunden wiederholt werden. Die Gewöhnungsphase beträgt erfahrungsgemäß 3 bis 14 Tage. Der optimale Zeitpunkt zur Irrigation ist morgens nach dem Frühstück. Das entspricht der natürlichen Darmentleerung, die vom Essen angeregt ca. 30 Minuten nach der ersten Nahrungsaufnahme stattfindet. Dieser natürliche Reflex unterstützt die Irrigation. Spülungen ohne vorherige Nahrungsaufnahme sind Kreislauf belastend und führen meist nicht zum gewünschten Erfolg.

Mögliche Probleme bei der Irrigation können sein:

- **Das Wasser läuft neben dem Konus/Katheter heraus:**

Wird mit Konus gearbeitet, so kann dieser etwas tiefer eingeführt oder der Winkel verändert werden. Alternativ könnte eine andere Konusform verwendet werden. Bei Kathetern zum Blocken ist die Ballonfüllung zu prüfen.

- **Das Wasser läuft schlecht ein:**

Möglicherweise ist das Rektum mit viel Kot gefüllt – dann sollte man erstmal 200 ml einlaufen lassen, entleeren und dann mit der Irrigation fortfahren. Weitere Ursachen können ein zu geringer Einlaufdruck oder ein verstopfter Konus/Katheter sein. Vielleicht ist der Patient auch zu verkrampft (Atemübungen zur Entspannung) oder zu ungeduldig (zur Erinnerung: Er hat für die Irrigation mindestens 5 Minuten Zeit!).

- **Der Patient verspürt einen tolerierbaren Druck im Bauch:**

Das ist im normalen Rahmen – der Darm sollte nicht sofort entleert, sondern es soll abgewartet werden, bis der Druck nachlässt und dann die Irrigation fortgeführt werden.

- **Der Patient verspürt einen unerträglichen Druck oder Schmerzen:**

Irrigation **sofort** beenden! Der Darm soll sich entleeren, und es ist umgehend Rücksprache mit dem Arzt aufzunehmen. Entweder ist der Druck mit einer geringeren Wassermenge tolerabel oder aber die Therapie muss beendet werden.

- **Der Patient kollabiert (Schwitzen, Schwindel):**

Irrigation **sofort** beenden! Mögliche Ursachen können sein, dass der Patient nüchtern war oder das Wasser zu schnell eingelaufen ist, zu viel oder auch zu kaltes Wasser eingespült wurde. In Rücksprache mit dem Arzt ist die Therapie bei wiederholtem Kollaps einzustellen.

- **Der Patient hat nach der Irrigation starke Schmerzen:**

Der Arzt ist zu informieren, ggf. eine Ausschlussdiagnostik einer Darmperforation zu veranlassen.

- **Der Patient hat Darmkrämpfe:**

Das Wasser war möglicherweise zu kalt – das kommt vor, wenn bei der Patientenanleitung zu lange erklärt wird. Die Irrigation **sofort** abbrechen.

- **Das Wasser kommt nicht aus dem Darm zurück:**

Der Patient trinkt vielleicht zu wenig, sodass Wasser resorbiert wird. In einzelnen Fällen kann auch ein Sphinkterspasmus der Grund sein.

Dokumentation während der Einweisungsphase

Nach der Irrigation sollten Irrigationszeitpunkt, Wassermenge und Temperatur, Einlaufzeit, Defäkationszeit, aufgetretene Probleme, Befinden des

Patienten und das verwendete Material dokumentiert werden. Weiterhin wird festgehalten, welche Schritte der Patient selbst durchgeführt hat und wo noch Probleme bestehen.

Alternativen zur analen Irrigation

Alternativ stehen zur Pflege bei Stuhlinkontinenz Analtampons, Fäkalkollektoren und Stuhldrainagesysteme zur Verfügung. Sie dienen zum Schutz der perianalen Haut und zur Prävention von Geruchsentstehung und Hautirritationen, indem sie den Kontakt des Stuhls mit der Haut verhindern. Des Weiteren kommen sie als unterstützende Maßnahme bei der Behandlung von Hautschäden, Wunden oder Dekubiti im Afterbereich zum Einsatz. Dadurch können Heilungsprozesse wirksam unterstützt werden.

Analtampons

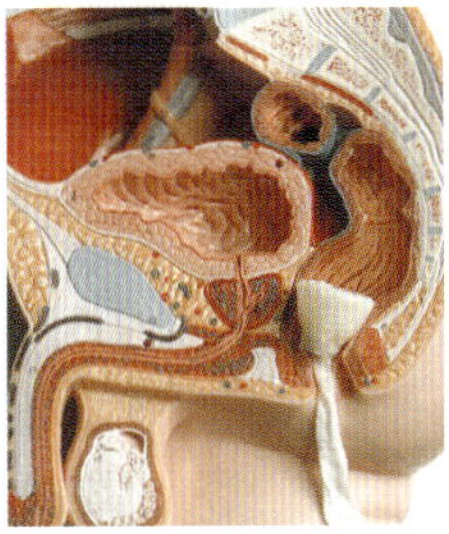

Ein spezielles Hilfsmittel für die Stuhlinkontinenz ist der Analtampon aus flexiblem, weichem Schaumstoff, der von mehreren Herstellern in unterschiedlichen Größen und Formen angeboten wird (Abb.: Peristeen® von *Coloplast*). Er hält **festen Stuhl** im Enddarm zurück, lässt jedoch Darmgase ungehindert entweichen. Er kann ebenso bei mobilen wie bei immobilen Betroffenen eingesetzt werden, ermöglicht dem mobilen Betroffenen deutlich mehr Bewegungsfreiheit und kann bis zu 12 Stunden im Enddarm belassen werden.

Anfangs verspürt der Tamponträger das unangenehme Gefühl von verstärktem Stuhldrang. Eine Gewöhnungsphase von 3 bis 4 Tagen ist jedoch üblich. Sollte der Darm den Tampon nach dieser Zeit nicht tolerieren, muss ein anderes Hilfsmittel oder therapeutisches Verfahren gefunden werden. Bei Schmerzen und Krämpfen ist der Einsatz zu beenden. Aus diesen Gründen sollte der Tampon **nicht** bei Patienten angewendet werden, die sich nicht zur Toleranz des Tampons äußern können!

Mögliche Einsatzgebiete für den Analtampon sind:
- Spina bifida
- Analatresie
- Multiple Sklerose

Weitere Einsatzgebiete sind:
- Stuhlschmieren
- Querschnittslähmung
- Altersbedingte Schließmuskelerschlaffung

In folgenden Fällen muss der Arzt über die Verwendung entscheiden:

- Hämorrhoiden
- vorausgegangene Operationen im Enddarm- oder Afterbereich
- Engstellen im Enddarm
- bei Kindern

Der Tampon sollte nicht eingesetzt werden bei:

- Durchfall
- Analfistel
- Darmentzündung
- Innerliche Wunden im Enddarm

Aufsaugende Hilfsmittel

Das Problem der Inkontinenz kann jedoch so komplex und ausgeprägt sein, dass es auch mit den oben beschriebenen Hilfsmitteln und Methoden nicht beherrschbar ist. Dann stehen nur noch die klassischen aufsaugenden Hilfsmittel wie Einlagen, Inkontinenzslips, Inkontinenzunterwäsche usw. zur Verfügung. Sollte dies die einzigste Möglichkeit der Versorgung sein, muss der Fokus auf die Prävention von Hautschäden gerichtet werden und Maßnahmen wie Intimhygiene und Hautschutz sorgfältig durchgeführt werden.

Fäkalkollektoren

Selbsthaftende Auffangbeutel, sog. Fäkalkollektoren (Incare® von Hollister oder Biotrol® Collektor I.F. von B. Braun Medicare), die nach gründlicher Reinigung und Rasur perianal auf den Dammbereich geklebt werden, sind ausschließlich für den **immobilen**, bettlägrigen Pflegebedürftigen bestimmt. Die Anwendung ist nur auf fettfreier Haut möglich. Zudem ist das Abdichten der Haftplatte nicht ganz einfach und erfordert Geschick und Übung. Der Markt bietet ergänzend eine spezielle Dichtungspaste zum Ausgleichen von Hautunebenheiten an und eine fettfreie Hautschutzcreme, die vor dem Anbringen des Kollektors einmassiert werden kann. Der Einsatz ist sowohl bei normaler Stuhlkonsistenz als auch bei Durchfall möglich. Sinnvoll erscheint das Anbringen des Kollektors bei bekannter Inkontinenz **vor** geplanten oralen Abführmaßnahmen. Sollte es sich um eine Versorgung bei dauerhaftem Durchfall handeln, muss natürlich die Durchfallursache evaluiert und ggf. behandelt werden.

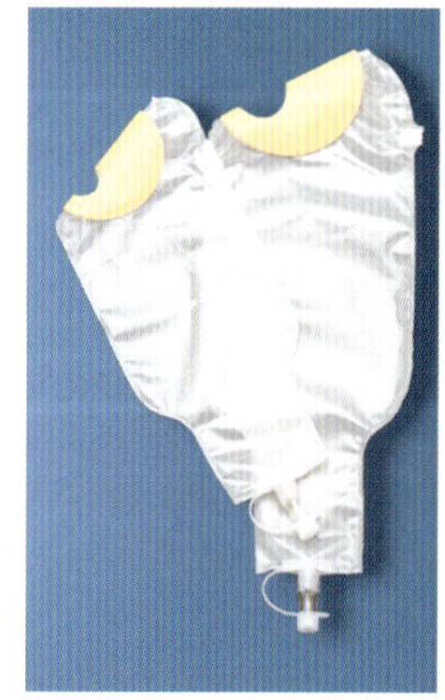

Fäkalkollektor Hollister

Der Patient muss zum Anbringen in Seitenlange gebracht werden und ein Knie anziehen können, damit der perianale Bereich für den Pflegenden zugänglich ist. Der selbsthaftende Beutel kann sogar bei bestehenden Hautirritationen verwendet werden und diese durch seine Schutzeigenschaft zum Abheilen bringen. Bei Durchfall kann er zusätzlich an einen Auffangbeutel angeschlossen werden.

Stuhldrainagesysteme

Zur Stuhlableitung bei Patienten mit Diarrhoe wird auch ein geschlossenes Stuhldrainagesystem angeboten. Dieses System (Flexi-Seal® von ConvaTec) ist ausschließlich für den Einsatz bei **bettlägerigen** Patienten mit **dünnflüssigem** Stuhlgang bestimmt. Das ableitende, geblockte System kann bis zu 29 Tage im Darm belassen werden. Der Auffangbeutel kann separat gewechselt werden. Diese Versorgungsmöglichkeit ist zwar kostenintensiv, jedoch amortisieren sich die Kosten im Durchschnitt mit dem sonst nötigen Pflegeaufwand ab 6 Tagen. Bei chronisch entzündlichen Darmerkrankungen ist diese Ableitung kontraindiziert.

Alexandra Fleischmann

16. Pampers & Co.

Aufsaugende Inkontinenzhilfsmittel

Die am häufigsten eingesetzten Hilfsmittel zur Kompensation der Inkontinenz sind aufsaugende Produkte. Vielleicht liegt uns diese Versorgungsart schon deshalb so nahe, da sie uns von Kindesbeinen an vertraut ist. Vielleicht liegt es auch daran, dass im Rahmen der Ausbildungen in den Pflegeberufen zu wenig Alternativen aufgezeigt werden.

Kriterien zur Hilfsmittelauswahl

Die Anwendung von aufsaugenden Inkontinenzhilfsmitteln darf nicht die Endstation der Inkontinenztherapie darstellen. Aufsaugende Hilfsmittel sollten Therapie begleitend und in letzter Konsequenz nur bei therapieresistenter Inkontinenz angewandt werden.

Vordergründig bei jeder Hilfsmittelauswahl steht die Kompensation der Inkontinenz, sodass die Betroffenen am sozialen Leben teilnehmen können und ihnen ermöglicht wird, unter hygienisch akzeptablen Bedingungen zu leben. Die Auswahl der Hilfsmittel orientiert sich an den Lebensumständen und den Ressourcen der Patienten. Hierbei macht sich eine ausführliche Pflegeanamnese bezahlt.

Als weitere Auswahlkriterien stehen im Vordergrund:

- Die Inkontinenzform, d. h. Urin- und/oder Stuhlinkontinenz
- Der Inkontinenzgrad, d. h. die Schwere der Inkontinenz sowie Menge und Konsistenz der Ausscheidungen
- Die geistigen und körperlichen Fähigkeiten des Betroffenen

- Der Körperbau und die Mobilität
- Zeitpunkt(e) der Inkontinenzepisoden
- Hautbeschaffenheit

Nach dem Erstellen einer gründlichen Pflegeanamnese kann individuell für den Betroffenen das richtige Hilfsmittel ausgesucht werden.

Historisches

Inkontinenzslips sind erstaunlicherweise weder für Kinder noch für Erwachsene seit langer Zeit auf dem Markt. Die Versorgung war vor der Erfindung der Windel für Erwachsene und Kinder gleich. Gummihosen und Baumwollwindeln waren Mittel der Wahl, um Inkontinenz zu versorgen.
1956 setzte sich der US-Amerikaner *Victor Mills* – zu der Zeit selbst Großvater geworden – mit der Problematik des Wickelns auseinander. Er selbst empfand das Wickeln des Enkels als umständlich. Als Direktor des US-Unternehmens der Firma *Procter & Gamble* beauftragte er seine besten Mitarbeiter, eine Wegwerfwindel zu erfinden. Im Jahr 1961 kam dann nach ersten Produktions- und Anlaufschwierigkeiten die erste »Pampers« auf den amerikanischen Markt (»Pampers« kommt aus dem Englischen und bedeutet synonym »verwöhnen, verhätscheln«!). In Deutschland etablierten sich die »Pampers« erst ab 1973.
1978 kam der erste Inkontinenzslip der Firma *Paul Hartmann* unter dem Namen »Moltexal« in Deutschland auf den Markt. Vom Aufbau war sie einer Betteinlage gleichzusetzen, die mehrere Vlieseinlagen besaß und eine graue Außenfolie hatte. Diese wurde wie eine »Pampers« gefalten und mit einem Klebestreifen verschlossen. Sicherheit im Punkte Auslaufschutz und Tragekomfort konnte dieser relativ dünne Inkontinenzslip nicht leisten.

Die ersten Inkontinenzslips, die eine Art Rücknässeschutz hatten, wurden von der Firma *Procter & Gamble* unter dem Namen »Attends« vertrieben. Um einen Rücknässeschutz zu gewährleisen, wurde im Inneren der Windel eine Plastikfolie eingearbeitet, die trichterförmige Löcher hatte, die sich bei Belastung schlossen.
Vorreiter für die Weiterentwicklung der Inkontinenzslips für Erwachsene waren immer wieder die Babywindeln. Die Produkte wurden immer dicker und schwerer, um eine höhere Saugleistung zu gewährleisten. Erst mit der Entwicklung der Superabsorber 1987 gelang es, Windeln herzustellen, die mehr als um die Hälfte dünner waren. Auch das Gewicht von ca. 220 g konnte auf weniger als 100 g reduziert werden.

Anforderungen an aufsaugende Inkontinenzprodukte:

- Sicheres Aufsaugen der Ausscheidungen
- Sichere Abdichtung (Ausscheidungen und Gerüche)
- Hautfreundlichkeit
- Geräuscharm und optisch unauffällig
- Selbständigkeit des Betroffenen fördernd
- leicht zu entsorgen
- Wirtschaftlichkeit

Aufbau von aufsaugenden Inkontinenzhilfsmitteln

Aufsaugende Inkontinenzhilfsmittel bestehen aus:

- einem Chassis
- und einem Saugkörper

Das Chassis ist maßgebend für die Anlagetechnik, den Tragekomfort und die Auslaufsicherheit. Der Saugkörper bestimmt die Saugleistung sowie die Aufsauggeschwindigkeit.

Das Chassis

Das Chassis besitzt eine wasserundurchlässige Außenschicht. Diese besteht entweder aus einer dünnen PP/PE-Folie oder einer atmungsaktiven stoffähnlichen Außenfolie. Mittlerweile sind die meisten aufsaugenden Inkontinenzhilfsmittel anatomisch geformt. Zur Verbesserung des Tragekomforts haben Inkontinenzslips vielfach am Bauch und Rücken zusätzlich eingearbeitete elastische Bündchen.

Ein zusätzlicher Auslaufschutz wird durch möglichst weiche, zum Teil noch Wasser abweisende Innenbündchen gegeben. Auch einige Vorlagen bieten zusätzliche Auslaufsperren im vorderen und hinteren Bereich.

Der Saugkörper

Moderne Saugkörper bestehen aus Zellulose und Superabsorber. Die besonders saugfähige Zellulose hat eine hohe Aufsauggeschwindigkeit und kann aufgenommene Flüssigkeiten schnell verteilen. Superabsorber sind Substanzen (chemisch gesehen: teilneutralisierte Natrium- Polyacrylate), die in der Lage sind, große Flüssigkeitsmengen zu binden. Hier handelt es sich um 0,1 bis 0,8 Millimeter große Körnchen, die das 48-fache ihres Eigengewichtes speichern können, wenn es sich um Körperflüssigkeiten wie Urin handelt. Flüssige Stoffe werden in Gel umgewandelt und auch unter Druck nicht wieder abgegeben. Durch das schnelle Abbinden von Urin wird eine Umwandlung des Urins in Ammoniak weitgehend verhindert, so dass es nicht zur Geruchsentwicklung kommen kann. Einigen Superabsorbern werden Stoffe (z. B. Cyclodextrinmoleküle) zugesetzt, die Gerüche zuverlässig binden.

Saugkörperaufbau

Der Saugkörper besteht aus mehreren Schichten und ist im Aufbau je nach Hersteller unterschiedlich. Am besten sind mehrlagige Saugkörper für die Inkontinenzversorgung geeignet:

- Verteilerschicht (oben)
  Optimalerweise befindet sich unter einem hautfreundlichen Vlies eine Verteilerschicht. Wie der Name schon sagt, soll diese Schicht Flüssigkeiten schnell im Saugkörper verteilen und zum Inneren des Saugkörpers weiterleiten, wobei sie selbst trocken bleibt und die Haut so vor Rücknässung geschützt wird.
- Saugschicht (mitte)
  Unter der Verteilerschicht befindet sich die Saugschicht, die sich aus einer Mischung von Zellulose und Superabsorber aufbaut. Hier wird Flüssigkeit abgebunden. Die Gesamt-Saugleistung wird durch die zugegebene Menge von Zellulose und Superabsorber bestimmt.
- Stabilisierende Grundmatte (unten)
  Die Grundplatte sollte aus reiner Zellulose bestehen, die dem Saugkörper Stabilität verleiht und Flüssigkeit zu verteilen hilft. Sie verhindert, dass die Superabsorberkörner Risse in der Außenfolie verursachen können und verringert so das Auslaufrisiko
  (Quelle: Robin Bähr)

Arten der aufsaugenden Inkontinenzhilfsmittel

Es gibt einteilige oder auch als geschlossen bezeichnete Systeme, zu denen die Inkontinenzslips und Inkontinenzhosen (Pull-On) gehören.
Zu den zweiteiligen Systemen oder als offenes System bezeichnet, zählen Einlagen oder Vorlagen, die mit einer Fixierhilfe getragen werden. Die Fixierhilfe besteht entweder aus einer Netzhose oder einem Schlüpfer. Hier wird unterschieden zwischen Einmalartikeln und wieder verwendbaren Materialien. Zusätzlich gibt es spezielle, auf die männliche Anatomie abgestimmte Produkte. Alle diese Hilfsmittel werden körpernah angewandt.
Zu den sog. körperfernen Produkten zählen Bettunterlagen, die auch als Einmalartikel oder wiederverwendbares Produkt erhältlich sind.

Inkontinenzslips

Sie umschließen die gesamte Hüfte und sind geeignet für Harn- und Stuhlinkontinenz. Inkontinenzslips bieten eine hohe Sicherheit für schwere und schwerste Inkontinenz und werden oft zur Nachtversorgung genutzt. Bei neuartigen Produkten sind die Seitenteile luftdurchlässig und aus Vlies gearbeitet. So sind sie angenehmer im Tragekomfort und auch hautfreundlicher. Befestigt werden Inkontinenzslips mit Klebestreifen oder Klettverschlüssen, die mit unterschiedlichen Techniken geöffnet und wieder verschlossen werden können. Sie besitzen elastische Beinabschlüsse und Innenbündchen, die vor seitlichem Auslaufen schützen. Gleichzeitig wird der Tragekomfort durch einen guten Sitz im Schrittbereich verbessert. Elastische Außenfolien oder andere Elastik-Komponenten sorgen für einen guten Sitz des Produktes.

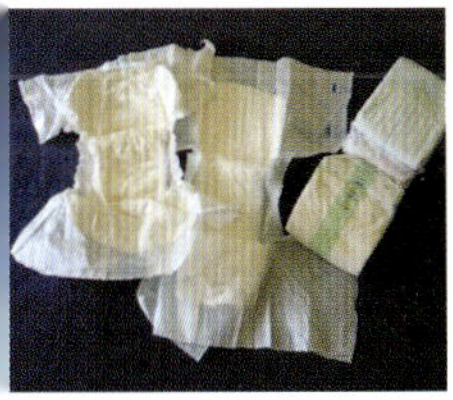

Nässeindikatorstreifen auf der Folie signalisieren von außen, ob das Produkt durchnässt ist. Sobald der Nässeindikator der Innenfolie mit Flüssigkeit in Kontakt gerät, verschwindet entweder der Schriftzug auf der Außenfolie oder Streifen verfärben sich. Je nach Hersteller gibt es unterschiedliche Varianten. Durch Nässeindikatoren wird ein unnötiges Öffnen der Inkontinenzslips vermieden.

Ganz neu auf dem Markt sind Inkontinenzslips, deren Innenvlies mit Panthenol beschichtet sind, um einer Windeldermatitis vorzubeugen. Zusätzlich wird eine atmungsaktive Außenfolie verwendet, damit die Haut besser mit Sauerstoff versorgt wird. Bekannt ist dieser Inkontinenzslip unter dem Namen Molicare Med®.

Inkontinenzhosen (Pull-ons)

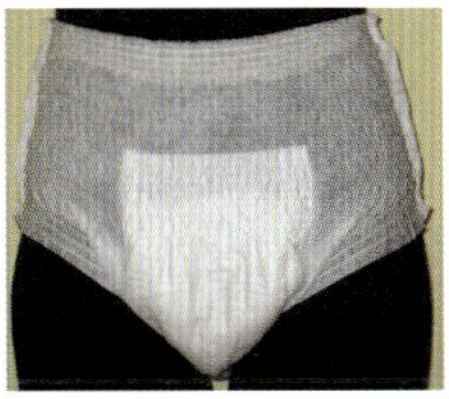

Die neueste Generation der aufsaugenden Produkte sind Pull-ons oder Pants, bekannt als MoliCare Mobile®, Tena Pants® oder Attends Pull-ons®. Auch diese Produkte werden in unterschiedlichen Größen und Saugstärken angeboten. Sie eignen sich bei leichter bis mittlerer Inkontinenz.

Inkontinenzhosen besitzen eine textilähnliche Form und Optik sowie eine Materialstruktur wie normale Unterwäsche und kann so auch eigenständig an- und ausgezogen werden.

Pull-ons werden aufgrund ihrer Ähnlichkeit zu normaler Wäsche meist besser von Pflegebedürftigen und Dementen akzeptiert. Beim Toilettentraining und zur Unterstützung beim intermittierenden Katheterismus sind sie besonders gut geeignet. Zu bedenken ist bei Pull-on-Produkten, dass sie schwieriger zu wechseln sind. Zum Wechseln des Produktes muss die Hose ausgezogen werden. Und leider sind Pull-on-Produkte deutlich teurer als herkömmliche Inkontinenzslips. So werden die Kosten nur anteilig von den gesetzlichen Krankenkassen übernommen, so dass die Betroffenen einen sehr hohen Eigenanteil zu zahlen haben.

Gürtelprodukte

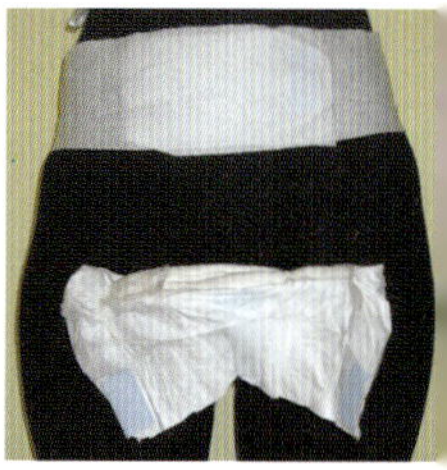

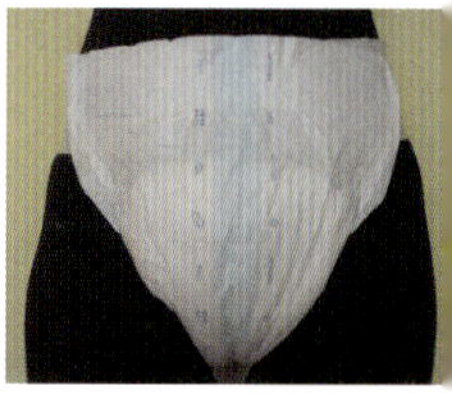

Tena Flex® und MoliFlex® Premium sind Vorlagen mit Hüftbund. Sie eignen sich zum Einsatz bei mittlerer bis schwerer Inkontinenz. Ein luftdurchlässiger, weicher Bund wird um die Hüfte gelegt und mit Klettverschlüssen befestigt. Die einseitig am Gürtel fixierte Vorlage wird von hinten durch die Beine gezogen und mit zwei Klettverschlüssen am Hüftbund befestigt. Der Klettverschluss kann beliebig oft geöffnet und verschlossen werden (s. nebenstehende Bilderfolge).
Hier verbinden sich die Vorteile des offenen Systems mit der Sicherheit des geschlossenen Systems. Es befindet sich weniger Material am Körper und das Produkt ist besonders hautfreundlich durch eine atmungsaktive, weiche und optisch textilähnliche Außenfolie. Auch dieses Produkt besitzt einen modernen Saugkörper und Nässeindikatoren. Gürtelprodukte eignen sich wegen der guten »Belüftung« gut bei allergischer Disposition des Patienten.

Zweiteilige Systeme

Zweiteilige Systeme werden auch als offene Systeme bezeichnet da sie den Hüftbereich nicht umschließen. Sie bestehen entweder aus einer Einlage und einem Schlüpfer oder aus einer Vorlage und einer Netzhose.
Eine zweiteilige Versorgung ist diskreter, da sie unauffälliger ist und mehr Tragekomfort bietet. Ein weiterer Vorteil dieser Versorgung besteht darin, dass sich mobile Betroffene selbst versorgen können und die Entsorgungsmengen geringer sind.

Einlagen

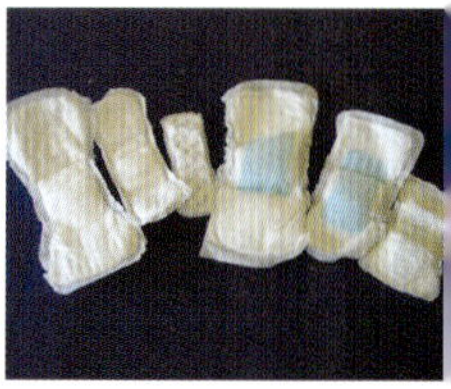

Einlagen sind geeignet für Betroffene Frauen und Männer mit leichter und mittlerer Inkontinenz. Bei Frauen werden sie so unauffällig wie eine Damenbinde mit einem Klebestreifen im Slip fixiert, sind aber im Unterschied zu den Damenbinden speziell auf das Aufsaugen von Urin ausgelegt. Der Superabsorber kann den Urin schnell in Gel umwandeln. Daher sind Inkontinenzeinlagen zuverlässiger in ihrer Saugleistung als Damenbinden. Es gibt Einlagen in unterschiedlichen Saugstärken (s. rechts). Größere Einlagen können bis zu 200 ml Urin aufnehmen.

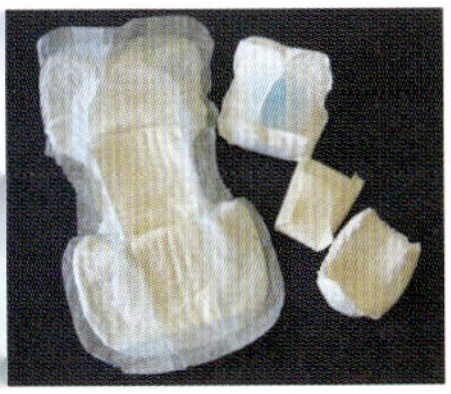

Für Männer gibt es V-förmig gearbeitete Spezialeinlagen, mit einer speziell auf die Anatomie von Männern entwickelte Form (s. links). Diese auch unter dem Namen »Tropfenfänger« (z. B. Tena for men® oder Molimed for men®) bekannten Produkte werden mit Hilfe eines Klebestreifens im eng anliegenden Schlüpfer fixiert. Sie finden ihre Anwendung bei leichter bis mittlerer Harninkontinenz. In der Kleidungswahl ungeeignet sind Boxer-Shorts, da sie zu locker im Schritt sitzen und so ein Auslaufen begünstigt wird. Einige Produkte umschließen nicht nur den Penis im Futteral, sondern Penis und Skrotum. Das ist notwendig, wenn der Penis zu retrahiert ist und sorgt für ausreichende Sicherheit.

Vorlagen

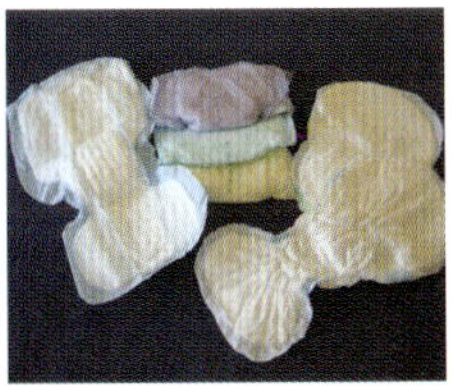

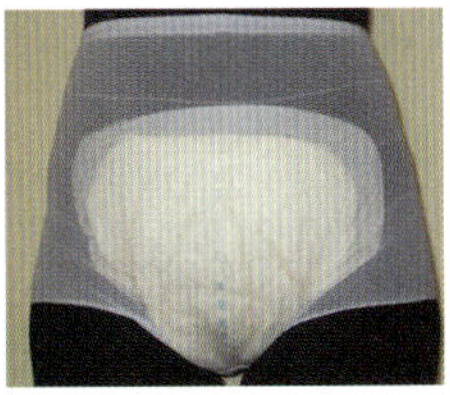

Für mittlere bis schwerste Inkontinenz eignen sich Vorlagen, die mit einer Netzhose fixiert werden (s. Bilder links). Im Unterschied zu den Einlagen sind Vorlagen größer und saugfähiger. Bei der Vorlagenversorgung besteht die Möglichkeit, besonders individuell zu arbeiten, da die Anzahl der Saugstufen viel größer ist. Auch hier sind, wie bei den Inkontinenzslips, Nässeindikatoren eingearbeitet, die es ermöglichen, den Sättigungsgrad der Vorlage von außen zu ermitteln.

Besonders wichtig ist bei diesem Produkt das richtige Anlegen, um ein Auslaufen zu verhindern. Das heißt, das Produkt muss eng am Körper anliegen. Grundsätzlich können die meisten Pflegebedürftigen mit einer Harn- und Stuhlinkontinenz mittels Vorlagen versorgt werden. Keine ausreichende Sicherheit ist bei Durchfällen gegeben.

Die neueste Generation der Inkontinenzvorlagen für Männer ist die MoliForm for men®, speziell auf die männliche Anatomie abgestimmt.

Netzhosen

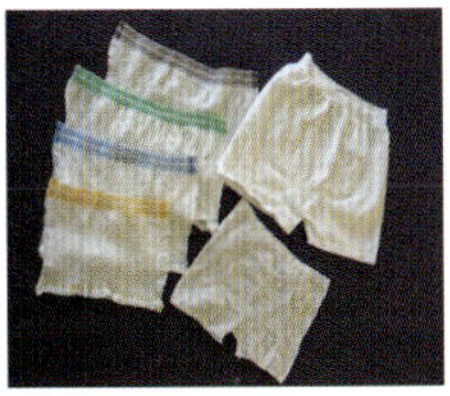

Netzhosen werden verwendet, um Inkontinenzvorlagen zu fixieren. Auch bei den Netzhosen gibt es Unterschiede in Produktbeschaffenheit und Größen, die sich je nach Hersteller an Körpergewicht, Hüftumfang oder Konfektionsgröße orientieren (s. li.). Netzhosen sind aus elastischem Netzgewebe gefertigt und besitzen teilweise einen Baumwollanteil. Die Netzstruktur der Netzhosen ist unterschiedlich stark ausgeprägt. An den Bündchen sind sie verstärkt und sie haben unterschiedliche Beinlängen. Netzhosen mit Beinansatz haben den Vorteil, dass sie nicht so sehr einschneiden. Im Regelfall sind sie je nach Hersteller bei 60°C oder 95°C waschbar, jedoch nicht trocknergeeignet. Sie sind aber auch als Einmalprodukt erhältlich.

Wiederverwendbare Systeme

Wiederverwendbare Inkontinenzhosen können zur Versorgung bei Stuhl und Harninkontinenz genutzt werden. Durch neue Techniken nähern sie sich im Bezug auf die Saugleistung den Einwegprodukten. Sie sind ähnlich aufgebaut wie die Einmalprodukte, mit dem Unterschied, dass der Superabsorber fehlt. Sie sind aus einem Saugkissen und einer flüssigkeitsundurchlässigen Außenschicht aufgebaut. Die Außenschicht ist aus einem PU-beschichteten Material das atmungsaktiv ist, gearbeitet. Der Saugkern besteht aus einem speziellen Mehrkammersystem mit Rückflussverhinderung. Im Saugkern befinden sich Zusätze, die Urin in einer gelartigen Masse binden. Ein Rückfluss hemmendes Innenvlies leitet den Urin schnell in das Innere der Saugkammer. Die Inkontinenzhosen werden mit Klettverschlüssen oder Druckknöpfen verschlossen. Sie besitzen elastische Bündchen und speziell gestaltete Ränder, die vor Auslauf schützen. So bieten sie ebensoviel Sicherheit wie die Einmalprodukte, jedoch werden sie selten verwandt, da sie produktionsbedingt dicker sind und sehr auftragen. Aus diesem Grund werden sie vorwiegend als Nachtversorgung eingesetzt.
Ein weiterer Grund für den seltenen Einsatz sind die hohen Anschaffungskosten. Zur Grundausstattung gehören mindestens 10 Inkontinenzhosen, wenn man von einem Wechselrhythmus von 2 bis 3 Hosen pro Tag ausgeht. Sie besitzen eine lange Lebensdauer und können (lt. Herstellerangabe) bis zu 300 mal bei 95°C gewaschen werden. Allerdings ist zu bedenken, dass die Reinigung dieser Hosen sehr kostenintensiv ist und durch fehlende Absorber im Produkt ein höheres Risiko für Hautdefekte besteht.

Wiederverwendbare Vorlagen

Wiederverwendbare Inkontinenzvorlagen sind ähnlich aufgebaut, wie Inkontinenzhosen. Der Absorberkern besteht meist aus mehreren Lagen eines vliesartigen Stoffes, der sich aus Viskose und Polyester zusammensetzt. Auch hier gibt es eine flüssigkeitsundurchlässige Außenschicht aus Kunststoff und einem Vlies zur Körperseite, das eine Rücknässung verhindert. Die wiederverwendbaren Vorlagen werden mittels Netzhose oder speziellen Fixierhosen angelegt. Auch diese Produkte sind bis zu 300 mal bei 95°C waschbar. Angewendet werden sie bei leichter und mittlerer Inkontinenz. Es gelten dieselben Bedenken in punkto Hautschutz und Reinigungskosten.

Bettunterlagen

Auch bei den Kranken- oder Inkontinenzunterlagen gibt es Einmalprodukte und wiederverwendbare, also waschbare Hilfsmittel.

Krankenunterlagen werden entweder direkt als Inkontinenzunterlage oder als zusätzlicher Bettschutz mit einer Hilfsmittelversorgung genutzt. Krankenunterlagen werden als Einmalprodukte in unterschiedlichen Ausführungen und Größen angeboten. Standardgrößen sind: 40 x 60, 60 x 60 oder 60 x 90 cm. Der Saugkörper dieser Unterlagen besteht entweder aus Zellstoff-Flocken oder Zellstofflagen. Dieser wird an der Oberseite durch einen weichen, strapazierfähigen Vliesstoff abgedeckt. Nach außen sind sie mit einer rutschfesten Folie versehen. Einige Hersteller teilen ihre Produkte nach mittelschwerer Qualität mit 12 Zellstofflagen oder als schwere Qualität mit 20 Zellstofflagen ein.
Wiederverwendbare Bettunterlagen sind wie alle anderen saugenden Inkontinenzprodukte aus 3 Schichten gearbeitet. Das Obermaterial besteht idealerweise aus einem Vlies mit einem hohen Baumwollanteil. Der aus Polyester bestehende Saugkörper speichert Flüssigkeit und das Untermaterial ist flüssigkeitsundurchlässig und rutschfest.
Auch diese Produkte sind nach Angaben der Hersteller 200 bis 300 mal waschbar bei 60 bis 95°C und sogar für den Trockner geeignet. Auch hier sind 3 Größen Standard; 45 x 50, 60 x 85 und 85 x 90 cm. Diese Inkontinenzunterlagen besitzen eine Saugfähigkeit von bis zu 2,5 l. Als Beispiel sei hier die Uriplus® (B.Braun) genannt.

Pflegerische Aspekte bei der Auswahl der Inkontinenzhilfsmittel

Größe

Bei der Produktwahl muss die richtige Größe der aufsaugenden Versorgung ermittelt werden, da sonst die Gefahr des Auslaufens gegeben ist. Wenn Inkontinenzslips oder Pull-on-Produkte zum Einsatz kommen, muss der Hüft- und Bauchumfang auf der Höhe des Beckenknochens ausgemessen werden. Die Größenangaben der meisten Hersteller entsprechen den amerikanischen Angaben der Konfektionsgrößen. Übliche Größen sind:
extra small (XS = 40-70 cm),
small (S = 50-80 cm),
medium (M = 70-120 cm)
large (L = 100-150 cm).
Auch hier gibt es je nach Hersteller geringe Abweichungen.
Pull-on-Produkte und Hüftgurtprodukte gibt es z. B. ausschließlich in den Größen medium und large.

Wechselintervalle

Neben der individuellen Ermittlung der Größe ist auch der individuelle Wechselrhythmus zu berücksichtigen. Es sollte mindestens 3x täglich die Versorgung gewechselt werden. Standardaussagen können in diesem Fall nicht gemacht werden, da individuell zu ermitteln ist, wie die Haut auf das gewählte Produkt reagiert und welche Rücknässung das Produkt zeigt. Kommt die Haut mit Stuhl oder Urin in Kontakt, besteht immer die Gefahr einer Hautschädigung, die umso intensiver ist, je länger der Kontakt mit den Ausscheidungen bestehen bleibt.

Saugleistung

Ebenso wichtig wie die richtige Größe ist der Schweregrad der Inkontinenz. Absorbierende Inkontinenzprodukte werden in unterschiedliche Saugleistungsstufen eingeteilt, entsprechend den unterschiedlichen Inkontinenzgraden. Die Saugleistung muss an den Schweregrad der Inkontinenz angepasst werden. Es gibt verschiedene, nur geringfügig voneinander abweichende Definitionen zur Ermittlung des Inkontinenzschweregrades. Relativ verbreitete Einteilungsschemata sind die der International Continence Society (ICS) sowie der Deutschen Kontinenz Gesellschaft (s. Kapitel 3).

Zur Bestimmung des individuellen Saugleistungsbedarfs eines Betroffenen eignet sich der *Pad-Weight-Test:* Das benutzte Produkt wird gewogen und das jeweilige Trockengewicht wird abgezogen. Um die Produktleistung zu ermitteln, ist eine weitere Rechnung nötig. Die errechnete Ausscheidungsmenge muss noch durch die Tragdauer geteilt werden und so lautet die entsprechende Formel:

Produktgewicht (benutzt) – Produktgewicht (trocken) = Ausscheidungsmenge
Ausscheidungsmenge ÷ Tragedauer = Produktindikation

Um eventuelle Schwankungen zu berücksichtigen, läuft der Test über 48 Stunden.

Anlagetechnik

Um Sicherheit zu vermitteln und das Auslaufen einer Versorgung zu vermeiden, ist eine korrekte Anlage der Produkte notwendig.
Inkontinenzprodukte müssen vor dem Anlegen in Längsrichtung gefaltet werden, damit ein kleiner schalenförmiger Hohlraum entstehen kann. So

hat der Urin mehr Zeit, vom Produkt aufgenommen zu werden und sich im Saugkörper zu verteilen. Bei zu eng anliegenden Produkten besteht die Möglichkeit des seitlichen Auslaufens. Nach dem Falten stellen sich zusätzlich die Innenbündchen auf und einem seitlichen Auslaufen wird auf diese Weise vorgebeugt. Bei den Innenbündchen ist darauf zu achten, dass sie in den Leisten anliegen.
Grundsätzlich werden alle Produkte von vorne nach hinten angelegt, um eine Keimverschleppung zu verhindern. Das Produkt sitzt richtig, wenn das breiter werdende Saugkissen am Übergang vom Oberschenkel zum Gesäß platziert ist. Inkontinenzprodukte sollen mittig zentriert am Körper anliegen, damit sie ihrer Saugleistung gerecht werden können.
Inkontinenzslips sollen so angelegt sein, dass der Abschluss der Kanten vorne und hinten gleich hoch ist. Sie werden mittels Klebestreifen verschlossen. Die oberen Klebestreifen werden schräg von oben nach unten fixiert, die unteren Klebestreifen schräg von unten nach oben. Mittels dieser Technik liegen die Produkte gut am Körper an und reduzieren das Auslaufrisiko. Manche Klebestreifen sind aus elastischem Material gefertigt und können zuvor leicht vorgedehnt werden, um eine gut Passform zu erhalten.

Für Auswahl und Einsatz aufsaugender Produkte gilt der Leitgedanke:
so groß wie nötig, aber so klein wie möglich!

Stefanie Busemann-Sauer

17. Auffangen, ableiten, fixieren

Hilfsmittelstrategien für Harn- und Stuhlableitungen

In der Pflege von Menschen mit Kontinenzstörungen sind Hilfsmittel in irgendeiner Form fast immer erforderlich. Die Betroffenen sind mehr oder weniger abhängig von diesen Hilfsmitteln, und zwar im Sinne von ...

- Qualität
- Kompatibilität
- Funktionalität
- Verfügbarkeit & Austauschbarkeit

Für Pflegende gilt es, bei der Auswahl erforderlicher Hilfsmittel qualitätsorientiert zu denken und kreativ die Ressourcen von Mensch und Material zusammenzuführen und zu nutzen. Sich grundsätzlich in der großen Produktpalette zurecht zu finden, ist die eine Sache. Zum anderen machen gerade die kleinen Details bei artgleichen Produkten oftmals den Unterschied aus. Diese kennen zu lernen und dem Patienten bei Bedarf zur Verfügung zu stellen, spricht für Pflegequalität.

Anforderungen an Inkontinenzhilfsmittel

- Hilfsmittel bei Inkontinenz müssen in erster Linie dem Zweck dienen, die soziale und hygienische Situation der Patienten zu stützen.
- Die Inkontinenzform ist ein bestimmender Indikator bei der Auswahl der Hilfsmittel. Neben der Größenanpassung des Hilfsmittels an die unfreiwillig abgehende Urinmenge muss weiterhin der persönliche Wechsel- bzw. Entleerungsrhythmus des Betroffenen sowie die Toleranz/ggf. Reaktion der Haut berücksichtigt werden.

- Die Lebensgewohnheiten des Betroffenen müssen sich nicht an der Leistungsfähigkeit des Hilfsmittels orientieren, sondern die Hilfsmittel sollten bestmöglich zu den Lebensbedingungen des Betroffenen passen.
- Das Hilfsmittel sollte so konzipiert sein, dass es primär durch den Betroffenen selbst angewendet werden kann. Ist dies nicht möglich, so ist zu prüfen, ob und wie diese Aufgabe von einem Angehörigen bzw. nachversorgenden Dienst übernommen werden kann.
- Wird eine instrumentelle Katheterableitung erwogen, so ist zu prüfen, ob das nicht invasive Kondomurinal in Frage kommt oder der intermittierende Einmalkatheterismus durchführbar ist. Erst in zweiter Linie sollte die suprapubische Drainage in Betracht gezogen werden. Der transurethrale Dauerkatheter muss am Ende der Auswahlskala stehen: wegen der hohen Komplikationsgefahr darf er nur als ultimatives Instrument zur Kompensation der Harninkontinenz in Erwägung gezogen werden.

Es ist **nicht** Anspruch dieses Buches, die ganze Vielfalt von Hilfsmitteln zur Kompensation der Inkontinenz zu benennen und möglichst vollständig aufzulisten, zumal nicht alles Erwähnung verdient, was im Hilfsmittelkatalog aufgelistet ist. Auch muss nicht jede genannte Empfehlung mit jeder persönlichen Meinung übereinstimmen. Unser Wunsch ist es vielmehr, Anregungen für die Praxis zu geben und den Nutzen für das eine oder andere Produkt verdeutlichen zu können. Wenn das gelingt, dann hat dieses Kapitel seinen Zweck erfüllt.

Aus Gründen der Übersichtlichkeit sollen nun hier die wichtigsten Hilfsmittel eingeteilt und einige besonders nennenswerte Details näher beschrieben werden:

A. Ableitungs- und Auffangsysteme (z. B. Katheter, Kondomurinale)
B. Verbindungs-, Fixierungs- und Haltevorrichtungen
C. Ergänzende Produkte (z. B. auch: Hilfsmittel für die Wohnraum- und Alltagsgestaltung sowie pflegetherapeutische Hilfen zur Kompensation der Stuhlinkontinenz)

Produktgruppe A: Ableitungs- und Auffangsysteme

Katheter für den *Intermittierenden Selbstkatheterismus* sollten in besonderer Weise sowohl in punkto Hygiene als auch durch einfaches Handling überzeugen. Ein weiteres wichtiges Augenmerk gilt den »Katheteraugen« – diese müssen, nicht zuletzt wegen des häufigen Gebrauchs – besonders atraumatisch gestaltet sein. Aus dem selben Grund ist eine Beschichtung der Katheter erforderlich, der auf verschiedene Art und Weise von den Herstellern umgesetzt wird:

Advance® von Hollister

- Gleitaktivierung des beschichteten Katheters durch steriles H_2O (z. B. Lofric®Primo von *AstraTech* oder EasiCath® von *Coloplast*)
- Herausschieben des Katheters durch eine mit Gleitmittel gefüllte Führungshülse (z. B. Advance® von *Hollister*)
- Gleitfähige Beschichtung des Katheters bereits in der Produktion (z.B. Actreen®Glys von *B.Braun*)
- Zwei beschichtete Produkte verdienen besondere Erwähnung in punkto Handling:
  - der Self-Cath®Hydrogel von *Mentor Healthcare*,
  - ein speziell für Frauen konzipierter, sofort anwendungsbereiter Einmalkatheter, der SpeediCath®Compact von *Coloplast*

  imponieren durch die Führungshilfe für ein aseptisches und sicheres Einführen des Katheters in die Harnröhre. Der SpeediCath®Compact ist der erste Katheter, der der Harnröhrenlänge der Frau angepasst wurde, was eine problemlose Benutzung auf der Toilette ermöglicht.

  Der Self-Cath®Hydrogel bietet zudem eine speziell auf den Rollstuhlfahrer abgestimmte innovative Ableitungsvariante ins WC (s. Foto links).

SpeediCath® Compact

Die in der ersten Generation der beschichteten Katheter noch übliche Aktivierung der Beschichtung durch Leitungswasser ist mittlerweile aufgrund des höheren Infektionsrisikos durch die neuen Technologien verdrängt worden.

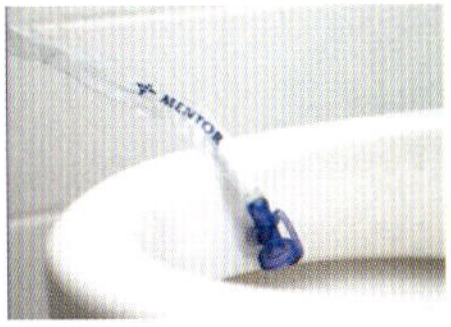

Self-Cath® Hydrogel

Im Produktsegment *Kondomurinale* wird generell unterschieden in Latexprodukte und solche, die latexfrei sind. Trotz der unbestrittenen Vorteile von Latex (anschmiegsam, besonders strapazierfähig) geht der Trend heute aufgrund verbreiteter Allergiedisposition eindeutig weg vom Latex. Zudem sind verschiedene Fixiervarianten zu unterscheiden:

- Selbsthaftende Urinale (cirkulär beschichtet) werden von den meisten Herstellerfirmen angeboten,
- Fixierung des Urinals mittels Haftstreifen (Adhäsivmaterial), z. B. von *Coloplast*,
- Fixierung mittels Hautkleber *(Sauer Kontinence)*.

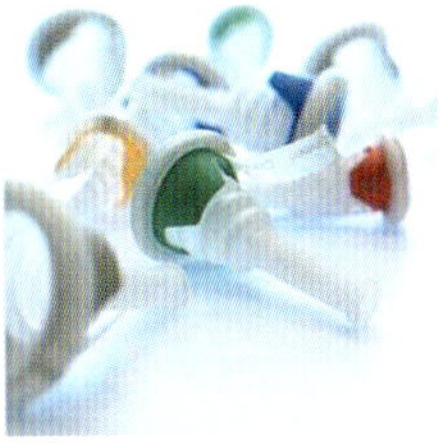

Neben den »konventionellen« Abrollmaßen werden heute von mehreren Firmen solche mit ultrakurzer Abrollfläche angeboten.

Eine weitere Besonderheit stellt das *Incare Kondomurinal mit abnehmbarer Spitze®* von *Hollister* dar, da es bei belassenem Kondomurinal den Intermittierenden Selbstkatheterismus ermöglicht.

Wenn der Patient mobil ist, kommen für die Ableitung des Urins Beinbeutel in Frage oder großvolumige Beutel mit Fixierungsbügel bettlägerige Patienten. Beinbeutel sollten ca. 500 bis 600 ml Fassungsvolumen haben und körpernah vliesbeschichtet sein. Wichtig ist außerdem eine sichere und leicht zu bedienende Fixierung mit Bändern oder sog. »Beinlingen«.
Unter den Beinbeuteln, die von mehreren Herstellern in annehmbarer Qualität angeboten werden, besticht der Conveen®Beinbeutel von *Coloplast*: er zeichnet sich durch seinen geriffelten, »unabknickbaren« Schlauch aus, der segmentartig auf individuell erforderliches Maß gestutzt werden kann. Die Haltebänder können eingeknöpft werden.

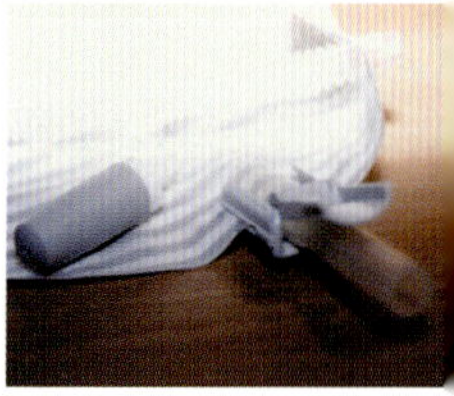

Conveen®Beinbeutel

Lobenswerterweise bieten heute 2 Firmen Produkte an, die speziell auf die Bedürfnisse und Ressourcen von Rollstuhlfahrern abgestimmt sind wie z. B. auf höhere Beinbeutelvolumina und eine andere Formgebung zwecks Fixierung oberhalb und unterhalb des Kniegelenkes. Die Kondomurinale der beiden Firmen wurden von Rollstuhlfahrern selbst für die eigenen Anforderungen konzipiert.
Die Firma Manfred *Sauer Kontinence* bietet – vornehmlich in Reha-Kliniken – auf dem Hintergrund eigener Betroffenheit (alle Kundenberater sind Rollstuhlfahrer!) schon seit vielen Jahren entsprechende Produkte an. Die Firma *Coloplast* hat mit den Moveen®-Produkten und einem wachsenden Mitarbeiterstab von Rollifahrern »nachgezogen«. (s. a. Kapitel 10)

Bei den sog. Bettbeuteln muss unterschieden werden, ob ein Katheter oder ein Kondomurinal abzuleiten ist: bei Katheterableitungen im Sinne eines sog. »geschlossenen Systems« sind vor allem der Cystocare® Platinum von *Mentor Healthcare* sowie der Monoflo® von *Tyco* – nicht zuletzt aufgrund qualitativ hochwertiger Tropfkammer hervorzuheben. Wegen des höheren Preises sind sie allerdings nur sinnvoll im Einsatz ohne Dekonnektierung (bis zu 14 Tage). Bei hygienisch weniger anspruchvollen Ableitungen (z. B. bei Kondomurinalen bzw. Beinbeutelverlängerungen in der Nacht) ist wiederum ein Moveen®-Produkt mit geriffeltem, »unknickbarem« Schlauch zu empfehlen, zumal so die Bewegungsfreiheit im Bett durch die Länge des Ableitungsschlauches (150 cm anstatt allgemein üblicher 90 oder 120 cm) gefördert und das Risiko einer Dekonnektierung durch Zug minimiert wird.

Katheterventil Uromed

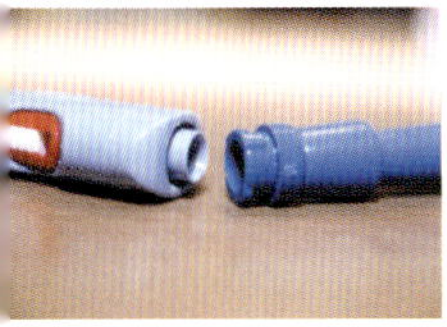

Katheterventile bieten dem mobilen Patienten – nach Rücksprache mit dem behandelnden Urologen – über Tag die Chance, ein »beutelfreies Dasein« zu genießen. Die Konnektierung für einen großvolumigen Nacht-Bettbeutel ist im Regelfall möglich. Auch Katheterventile werden mittlerweile von vielen Herstellern, wie z. B. *Uromed* oder *Mentor Healthcare* angeboten. Der Einsatz muss immer mit dem Urologen abgestimmt sein.

Uribag® »männlich« (oben) und »weiblich« (unten)

Für den in der Mobilität eingeschränkten Patienten bietet der Uribag®, der gleich von mehreren Firmen *(B. Braun, Büttner-Frank, Sauer Kontinence)* angeboten wird, eine Art »Notklo«. Auch eine »weibliche Version« steht zur Verfügung, wobei der Funktionalität hier durch fehlende »Prominenz« des Zielorgans eindeutig Grenzen gesetzt sind.

Neben den Kondomurinalen stehen weitere Produkte zur externen Ableitung von Harn und Stuhl zur Verfügung:

- Der Incare®Externer Urinkollektor für die Frau (von *Hollister*) haftet um die Vulva auf der Basis von Adhäsivhautschutz aus der Stomaversorgung – auch hier ist die Zuverlässlichkeit sehr fraglich (s. Uribag®).
- Faecalkollektoren sind Stuhl ableitende Beutel, die ebenfalls mit Adhäsivhautschutz (oft mit Unterstützung von Abdichtungspaste) perianal platziert werden können. Aus den genannten Gründen sind auch hier die Grenzen der Möglichkeiten eng gesteckt. So ist die Indikation auf völlig immobile Patienten begrenzt, denn auch im Bett würde zu viel Beinbewegung – verbunden mit entsprechenden Scherkräften – die Haftung des Kollektors nicht erlauben. Angeboten werden Faecalkollektoren von den Firmen *B.Braun* und *Hollister* (s. a. Seite 124).
- Die »klassische« Form der externen Ableitung ist die Stomaversorgung. Bei Urostomiebeuteln ist die Rücklaufsperre herauszustellen. Solche Beutel kommen im Einzelfall als Versorgungsalternative zum Kondomurinal in Betracht, wenn der retrahierte Penis zu wenig Prominenz (= Abrollfläche) bietet – Probieren geht über Studieren!

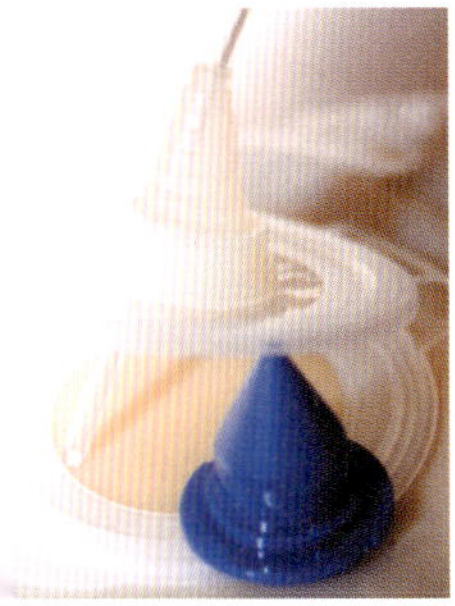

Produktgruppe B: Verbindungs-, Fixierungs- und Haltevorrichtungen
Katheter müssen sicher ausgeleitet/abgeleitet, ihre Auffangsysteme sicher fixiert werden. Im Folgenden ist die Rede von solchen Produkten ...

Die Incare Universalfixierhalterung® von *Hollister* (Foto links) dient der getrennten Ausleitung von Drainagen, z. B. von Harnleiterschienen zum Zweck einer getrennten Bilanzierung.

Die Firma *Mentor Healthcare* bietet eine große Auswahl an Adaptern und Verbindungsstücken für die Urologie, z. B. auch für Verlängerungen von Nierenbeckenkathetern oder auch für zusammen geführte 2-seitige Ableitungen (sog. Y-Stücke, s. rechts). Flexible Verlängerungsschläuche hat auch die *Hollister (Incare)* im Sortiment.

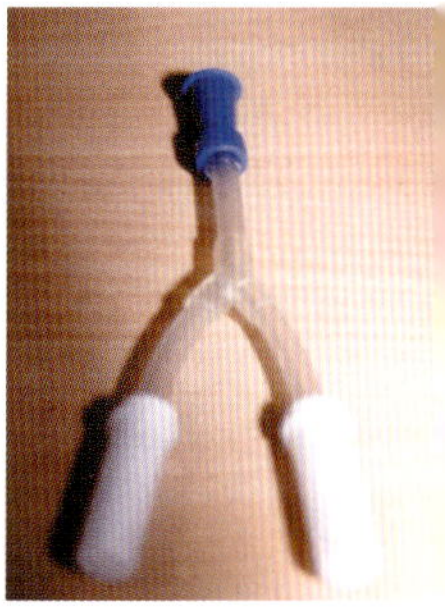

Einfach im Handling, selbstklebend und hilfreich bei der Fixierung und Zugsicherung von Kathetern und Drainageschläuchen sind die Urimed Klett® von *B.Braun*. Dem selben Zweck dient auch der Foley Katheterhalter® von *Mentor Healthcare*, allerdings ohne Kleber, sondern mittels elastischem Haltegurt. Die Zugsicherung wird durch eine sog. »Konterarretierung« sichergestellt (s. S. 139).

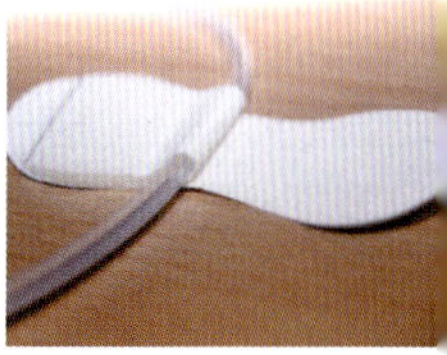

Urimed Klett®

Der Urocare Kondomslip® von *Mentor Healthcare* dient der besseren Fixierung von Kondomurinalen.

Urocare Kondomslip®

Urocare Holster® + Netti Einbeinhose® von *Mentor Healthcare* sowie die Urimed Beinbeuteltasche® von *B.Braun* fangen das Füllgewicht des Beinbeutels in der Hüfte ab und ermöglichen ein selbstständiges Entleeren des Beutels ohne Bücken. Die Urimed Beinbeuteltasche® ist besonders geeignet für die Ableitung von Nierenfisteln.

Produktgruppe C: Ergänzende Produkte

Biofeedback- und Elektrostimulationsgeräte bedürfen einer intensiven Beratung und Anleitung durch Arzt und/oder Pysiotherapeuten.
Urinflaschen (mit entsprechenden Betthalterungen), Toilettenstühle und Toilettensitzerhöhungen sind wichtige Hilfsmittel zur Förderung der Kontinenz (Unterstützung des eigenständigen, kontrollierten Toilettengangs). Auch die Haltegriffe auf Fluren und im WC tragen zur Sicherheit bei und bewahren so vor mancher Inkontinenzepisode.

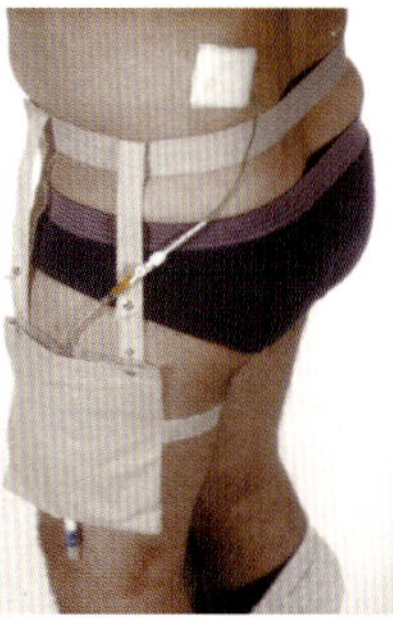

Urimed Beinbeuteltasche®

Zur Kompensation der Stuhlinkontinenz kommen neben den für den Schutz der Kleidung oft unvermeidlichen aufsaugenden Hilfsmitteln einige spezielle Produkte in Betracht:
Analtampons, die in verschiedenen Größen und Formen (z. B. von den Firmen *Med SSE* oder *Coloplast*) angeboten werden, können den Stuhl wohl im Rektum aufhalten, verschließen aber keineswegs den Darm, wie irrtümlicherweise oft vermutet wird. Es bedarf also auch hier einer gründlichen Beratung und Anleitung der Patienten.

Die anale Irrigation fördert Kontinenz (s. Kapitel 15) im besten Sinne des Wortes. Die Produkte, die hierbei zum Einsatz kommen, sind neben den aus der Stomaversorgung bekannten Schwerkraftsystemen die *Irrimatic®* Irrigationspumpe von B.Braun sowie das System *Peristeen® Anale Irrigation* von Coloplast.

Ein wichtiger Qualitätsaspekt bei der Auswahl von Versorgungsmethoden und Hilfsmitteln ist der **Hautschutz**. Die Haut des inkontinenten Menschen ist im feucht-warmen Milieu des Intimbereichs durch den Kontakt mit Ausscheidungen zwangsläufig sehr gefährdet. Hinzu kommt die Druckgefährdung durch Hilfsmittel (z. B. Katheter) und die oftmals drastische Hautreinigung: zu viel Seife schädigt auf Dauer den Säureschutzmantel der Haut und fördert so Defekte. Deshalb sollten hier bei Bedarf nur pH-neutrale Reinigungsmittel verwendet werden. Zusätzlich kann gefährdete Haut mit einer Barriere-Creme (z. B. *Chiron®* oder *Cavilon®*) vor äußeren Einflüssen geschützt werden. Die **wichtigste** pflegerische Intervention zum Schutz der Haut ist aber zweifellos, den Kontakt von Harn/Stuhl mit der Haut zu verhindern bzw. zu minimieren, und zwar durch:

- eine ableitende Versorgung (wie Kondomurinal), sofern es möglich ist,
- qualitativ hochwertige aufsaugende Produkte (Nässebarriere, Absorber!),
- angemessene Wechselintervalle der Vorlagen/Inkontinenzslips.

Bei der Auswahl der erforderlichen Hilfsmittel nehmen naturgemäß und unvermeidlich mehrere Faktoren/Personen Einfluss:

- Die empfehlende Pflegekraft mit dem Hintergrund eigener Erfahrungen, aber auch persönlicher Überzeugungen; ein eigener »Geschmack« ist dabei authentisch und nicht verwerflich, solange keine »Geschmacksverstärker« ins Spiel kommen ...
- Die Freundlichkeit und/oder Kompetenz der Außendienstmitarbeiter der Hersteller-/Vertriebsfirmen
- Ressourcen und Grenzen von Angehörigen und/oder ambulanten Pflegediensten
- Einkäufer in der Klinik bzw. Einkaufskonditionen im ambulanten Fachhandel (z. B. Sanitätshaus)
- Last, but not least der Patient selbst.

Konzeptionell ist es bei Kontinenzstörungen anzustreben, eine gezielte Beratung anzubieten, die über »Pampering« hinausgeht bzw. Alternativen sucht, nicht zuletzt in den Möglichkeiten der ableitenden Versorgungen

(Kondomurinale, Beinbeutel, Katheterventile u. a.).
So kann, z. B. auch durch Verbesserung im Handling der eingesetzten Hilfsmittel, die Lebensqualität der Patienten positiv beeinflusst werden.

Über die Wirtschaftlichkeit der einzelnen Produkte kann man trefflich streiten. Denn oftmals gibt es im betreffenden Produktsegment preiswertere Lösungen, die allerdings ebenso häufig auch die »billigeren« sind. Es zeigt sich immer wieder, dass qualitativ bessere Produkte trotz höherer Kosten im Einkauf Kosten dämpfend sind! Festbeträge für Hilfsmittel sind da eher kontraproduktiv.

Thomas Boelker

18. Buch mit sieben Siegeln

Erstattung von ableitenden Inkontinenzprodukten in der GKV

Die Erstattung von Hilfsmitteln und insbesondere der ableitenden Inkontinenzprodukte befindet sich im Umbruch. Moderne Versorgungen werden dem von Inkontinenz betroffenen Menschen oft aus Angst vor Überschreitung des Budgets nicht verordnet. Auf der anderen Seite durchlaufen die Menschen einen Erstattungsmarathon, weil Mitarbeiter der Krankenkasse eine Versorgung ablehnen, ohne um den entsprechenden medizinischen und pflegerischen Hintergrund der Verordnung zu wissen. Schuldzuweisungen wären an dieser Stelle nicht gerechtfertigt. Es muss vielmehr um eine engere Kooperation und Kommunikation aller Prozessbeteiligten gehen. Die folgenden Ausführungen sollen die aktuelle Erstattungspraxis verdeutlichen.

Voraussetzungen zur Verordnungs- und Erstattungsfähigkeit von Inkontinenzhilfen

Die benötigten Hilfsmittel bei Inkontinenz können durch den Arzt verordnet und zu Lasten der gesetzlichen Krankenversicherung erstattet werden (BSG-Urteil: Az: 3 RK 15/89 vom 07.03.1990).

Dieser Anspruch gilt sowohl in der ambulanten als auch in der stationären Versorgung, wenn eine mindestens mittelgradige (100 ml in 4 Stunden) Harn- oder Stuhlinkontinenz vorliegt und der Einsatz der Inkontinenzhilfen

- medizinisch indiziert und
- im Einzelfall erforderlich ist und
- den Versicherten in die Lage versetzt, Grundbedürfnisse des täglichen Lebens zu befriedigen.

Die Erfüllung dieser Voraussetzung bedeutet eine Unterwanderung der bisherigen Definition von Inkontinenz, durch die eine Anspruchsgrundlage zur Erstattung gegeben war. Darüber hinaus ist es sehr fraglich, ob alle Maßnahmen der Inkontinenzprävention wie z. B. bei Harnverhalt oder Reflexinkontinenz bei querschnittsgelähmten Patienten in der neuen Definition von Inkontinenz berücksichtigt sind (vgl. Deutsche Kontinenz Gesellschaft).

Für die eindeutige Zuordnung der Kostenerstattung ist eine klare Abgrenzung erforderlich von Hilfsmitteln, Pflegehilfsmitteln und Heilmitteln zueinander erforderlich:
Hilfsmittel sind medizinische Leistungen, wie Körperersatzstücke, orthopädische Hilfsmittel, Inkontinenzhilfsmittel, Stomaversorgungsprodukte oder technische Produkte wie Applikationshilfen und Inhalationsgeräte.
Pflegehilfsmittel werden von der Pflegekasse erstattet. Die Voraussetzung ist das Vorliegen von Pflegebedürftigkeit nach dem SGB XI und die Pflegeerleichterung im Vordergrund steht. Der Antrag auf die Kostenübernahme eines Pflegehilfsmittels kann ohne ärztliche Verordnung gestellt werden.
Heilmittel, oft mit Hilfsmitteln verwechselt, sind persönlich erbrachte medizinische Leistungen, insbesondere Leistungen der Physiotherapie, der Sprachtherapie u. a. m.

Inkontinenzhilfen, die **ausschließlich** zur Erleichterung hygienischer und pflegerischer Maßnahmen dienen, sind **nicht** erstattungsfähig durch die gesetzlichen Krankenkassen. Dies ist dann der Fall, wenn aufgrund des körperlichen oder geistigen Zustands dauernde Bettlägerigkeit vorliegt (z. B. Vorlagen, zur Aufnahme geringer Ausscheidungsmengen).

Anders ist der Fall jedoch, wenn ein medizinisch notwendiges Hilfsmittel den individuellen Bedürfnissen des Patienten dient und nicht allein zur Pflegeerleichterung eingesetzt wird. Dann liegt eine Leistungspflicht durch die gesetzlichen Krankenkassen vor. Der behandelnde Arzt oder der MDK muss in regelmäßigen Abständen (3 bis 6 Monate) prüfen, ob die Inkontinenzversorgung weiterhin erfolgen soll.

Grundsätzlich sollten die verordneten Hilfsmittel im Hilfsmittelverzeichnis der Spitzenverbände der Krankenkassen gelistet sein. Im Einzelfall ist die Erstattung aber auch durch ausreichende Begründungen gegenüber den Krankenkassen möglich.

Voraussetzungen nach SGB V § 128 Hilfsmittelverzeichnis
Die Spitzenverbände der Krankenkassen erstellen ein Hilfsmittelverzeichnis und als Anlage dazu ein Pflegehilfsmittelverzeichnis. In dem Verzeichnis sind alle von der Leistungspflicht betroffenen Hilfsmittel aufgeführt. Inkontinenzhilfen befinden sich in der Produktgruppe 15.

Erstattung von Inkontinenzhilfen (Festbeträge, Eigenanteile)
Die gesetzlichen Krankenkassen erstatten dem Versicherten entweder den Vertrags- oder Festbetragspreis (Festbetrag = Höchstbetrag, der durch die Krankenkasse erstattet wird) für das erforderliche Hilfsmittel. Aufbauend auf die Einordnung ins Hilfsmittelverzeichnis bestanden für aufsaugende Inkontinenzhilfen schon seit einigen Jahren länderspezifische Festbeträge. Diese sind seit dem 1. Januar 2005 durch bundesweite Festbeträge ersetzt worden. Die Grundlage hierfür hat der Gesetzgeber mit der Einführung des Gesetzes zur Modernisierung der gesetzlichen Krankenversicherung geschaffen. Danach sollten die Spitzenverbände der Krankenkassen bis zum 31.12.2004 erstmalig bundesweite Festbeträge festsetzen.

Die bundesweite Festsetzung sollte u. a. auch die erstmalige Festlegung von bundesweiten Festbeträgen für ableitende Inkontinenzhilfen beinhalten. Die Spitzenverbände der Krankenkassen haben am 1. Oktober 2004 die Anhörung zur Bestimmung der Festbeträge für Inkontinenzhilfen eröffnet.
In Einzelfällen war eine Absenkung der Vergütung um bis zu 60% geplant. Durch die Einreichung von fachlich fundierten Stellungnahmen der Leistungserbringerverbände ist es gelungen, den Spitzenverbänden darzustellen, dass die Zusammenführung von Einzelprodukten in sogenannte einheitliche Preiskategorien (innerhalb der Produktgruppe 15) der bestehenden Versorgungspraxis widerspricht. Die Festsetzung ist daher bis zur Überarbeitung der Produktgruppe 15 zurückgesetzt worden. Inzwischen ist das Anhörungsverfahren zur Fortschreibung der Produktgruppe 15 abgeschlossen und es erfolgt die Neueinsortierung der Produkte durch den Medizinischen Dienst der Spitzenverbände (MDS).
Alternativ können die rund 250 Vertragskrankenkassen über Ausschreibungen, Kollektiv- oder Einzelverträge mit den Leistungserbringern (z. B. Apotheken, Home Care – Unternehmen, Sanitätshäusern, medizinische Fachhändlern) zu niedrigeren Preisen als den Festbeträgen, jedoch zu gleicher Qualität, gelangen. Das Wahlrecht des Versicherten wird **formal** nicht angetastet. Auch weiterhin besteht die Möglichkeit, die Inkontinenzhilfsmittel und den Leistungserbringer seiner Wahl auszusuchen.

Zuzahlungen seit dem 1. Januar 2005

Mit der Gesundheitsreform sind Inkontinenzprodukte für Versicherte der gesetzlichen Krankenversicherung erstmalig nicht mehr zuzahlungsfrei.

Allgemeine Zuzahlungsregel:

Versicherte haben nach Vollendung des 18. Lebensjahres grundsätzlich eine Zuzahlung von 10% des Kostenübernahmebetrags durch die Krankenkasse zu leisten, jedoch mindestens 5 Euro und höchstens 10 Euro.

Sonderregelung für zum Verbrauch bestimmte Hilfsmittel

Die Sonderregelung gilt nur für »zum Verbrauch bestimmte Hilfsmittel«, d. h. Hilfsmittel, die einmalig genutzt und dann verworfen werden

Zuzahlungsregel

Es gelten für Inkontinenzprodukte 10% je Packung, höchstens jedoch 10 Euro pro Monat für alle zum Verbrauch bestimmten Hilfsmittel. Private Aufzahlungen des Patienten ergeben sich aus der Differenz zwischen dem Abgabepreis und Erstattungsbetrag durch die Krankenkassen (bundesweite Festbeträge).

Benötigen Versicherte auf Grund mehrerer Erkrankungen verschiedene Hilfsmittel, so sind die Zuzahlungen für die vom Arzt verordneten Hilfsmittel für jeden Versorgungsbereich getrennt zu entrichten. (Diese Regelung gilt jedoch nicht für zum Verbrauch bestimmte Hilfsmittel.)

Die Leistungserbringer (z. B. Apotheke, Home Care – Unternehmen, Sanitätsfachhandel oder medizinischer Fachhandel) ziehen die Zuzahlung von dem Versicherten ein. Der Verzicht des Leistungserbringers auf die Zuzahlung des Versicherten ist unzulässig.

Beschränkung der Zuzahlungspflicht (Belastungsgrenze)

Versicherte haben während eines Kalenderjahres nur Zuzahlungen in Höhe von 2% ihrer jährlichen Bruttoeinnahmen zum Lebensunterhalt zu leisten. Für chronisch Kranke beträgt diese Höchstgrenze 1% der jährlichen Bruttoeinnahmen zum Lebensunterhalt. Wird diese Höchstgrenze bereits innerhalb des Kalenderjahres erreicht, hat die Krankenkasse eine Bescheinigung darüber zu erteilen, dass für den Rest des Kalenderjahres keine Zuzahlungen mehr zu leisten sind. Manche Kassen ermöglichen auch die Vorauszahlung der gesetzlichen Zuzahlung im Januar. Diese Praxis schafft erhebliche organisatorische Erleichterungen für Versicherte wie auch »Kassierer«.

Abgrenzung zum Arzneimittelbereich

Inkontinenzhilfen der Produktgruppe 15 werden vom Arzt verordnet, wobei die Verordnung mit Hinweis auf das Richtgrößenvolumen (Budget) hin und wieder verweigert wird. Die Sorge um die Richtgröße ist jedoch unberechtigt, denn Inkontinenzhilfen sind Hilfsmittel und fließen nach § 84 SGB V nicht in das Richtgrößenvolumen für Arznei-/Verbandmittel des Arztes ein.

Verordnungshinweise

Die Verordnung von Hilfsmitteln verursacht nicht selten Probleme aufgrund der Vielzahl von verfügbaren Artikeln sowie der unzureichenden Kenntnis über die korrekte Vorgehensweise. Der Anspruch auf Versorgung mit den erforderlichen und angemessenen Hilfsmitteln ergibt sich, sobald eine medizinische Indikation vorliegt. Die Anspruchsgrundlage zur Verordnung von Inkontinenzprodukten ist § 33 SGB V.

§ 33 SGB V Hilfsmittel

Versicherte haben Anspruch auf Versorgung mit Hörhilfen, Körperersatzstücken, orthopädischen und anderen Hilfsmitteln, die im Einzelfall erforderlich sind, um den Erfolg der Krankenbehandlung zu sichern, einer drohenden Behinderung vorzubeugen oder eine Behinderung auszugleichen.

Der Anspruch umfasst auch die notwendige Änderung, Instandsetzung und Ersatzbeschaffung von Hilfsmitteln sowie die Ausbildung in ihrem Gebrauch.

Rezepterstellung

Bei der Verordnung von Hilfsmitteln gibt es in Deutschland eine Vielzahl unterschiedlicher Regeln. Hilfsmittel werden auf einem separaten Rezept verordnet. Die Kennzeichnung als Hilfsmittel (Feld 7) muss angekreuzt werden. Pro Rezept können maximal drei Artikel verordnet werden.

Folgende Angaben sollten jedoch immer auf einem Rezept vermerkt sein:

- Angabe der Diagnose bzw. des Verordnungsgrundes wie z. B.
  - Harn- und/oder Stuhlinkontinenz: Behandlung einer Krankheit, z. B. Dekubitus/ Dermatosen
  - Harn- und/oder Stuhlinkontinenz: zur Prävention von Hauterkrankungen bei Dekubitus

- Harn- und/oder Stuhlinkontinenz: Ermöglichung der Teilnahme am gesellschaftlichen Leben
- 10-stellige Hilfsmittelnummer / namentliche Verordnung eines Produktes oder die Verordnung bis zur 7. Stelle der Hilfsmittelnummer (z. B. 15.25.01.6)
- Größe des Inkontinenzhilfsmittels und Stückzahl
- Dauer der Verordnung
- Der Verordnungszeitraum sollte erkennbar sein, z. B. »Monatsversorgung« – auch ein Versorgungszeitraum bis zu 12 Monaten ist möglich
- Zuzahlungspflicht: »Gebührenpflicht« bzw. »Gebühr frei« muss angekreuzt werden
- Datumsfeld: Das Ausstellungsdatum muss vor der Lieferung liegen
- Das Rezept muss ordnungsgemäß unterschrieben und abgestempelt sein. Erfolgt eine nachträgliche handschriftliche Änderung, so muss der Arzt diese erneut abzeichnen.
- Nach Erhalt des Hilfsmittels muss der Patient mit Unterschrift und Datum auf der Rückseite des Rezepts den Empfang bestätigen.

Zum Schluss sei noch ein wichtiger Hinweis für die Verordnungspraxis erlaubt: Hilfsmittel müssen unbedingt auf einem gesonderten Rezept verordnet werden, um nicht versehentlich in das Arznei-, Verband- und Heilmittelbudget hineingerechnet zu werden.

Dietmar Hegeholz, Claudia Schenke

19. Brücken bauen

Entlassungs- und Überleitungsmanagement bei Patienten mit Kontinenzstörungen

»Heute bin ich darüber informiert worden, dass ich Freitag nach Hause gehen kann. Ich wollte das eigentlich schon früher wissen, aber keiner wollte mir das sagen. Ich habe schon vor zwei Wochen gefragt, ob ich bald nach Hause gehen kann. Das war da nie so richtig klar. Bei der Visite habe ich es dann heute erfahren. Und ab heute läuft jetzt die ganze Vorbereitung. Ich weiß nicht, ob das zu schaffen ist, bis Freitag. Aber ich hoffe.« (Interviewauszug mit einer Patientin bei poststationärem Unterstützungsbedarf vier Tage vor ihrer Entlassung – vgl. *Knecht*, Diplomarbeit zum Thema »Gestaltung des Entlassungsprozesses von rückenmarkverletzten Patienten unter besonderer Berücksichtigung ihrer Bedürfnisse und Erwartungen.« *Fulda, 1999*)

Wer von uns professionellen Pflegenden kennt diese typischen Entlassungssituationen von Patienten mit poststationärem Unterstützungsbedarf aus dem Klinikalltag nicht? Warum entstehen an solch einem zentralen Übergang wie der Entlassung aus der Klinik in eine alternative Betreuungsform immer wieder Defizite, die häufig sogar neuen Unterstützungsbedarf beim Patienten auslösen? Welche Möglichkeiten und Wege gibt es für den Bereich Inkontinenz, um Defizite bei der Überleitung/Entlassung zu vermeiden?

Zwei zentrale Versorgungslücken kennzeichnen das hiesige Gesundheitssystem und bilden damit auch die Ursache für diese Diskontinuitäts- und Desintegrationsphänomene. Zum einen führt die strikte Trennung zwischen dem akutstationären Gesundheitssektor und der anschließenden Betreuungsform zu Versorgungslücken in der Behandlungskontinuität. Zum anderen entsteht ein zweiter Bruch durch die stark kurativ, also medizinisch ausgerichteten Behandlungsmethoden in Akutkliniken und die unzureichende Integration von rehabilitativ-therapeutischen Betreuungskonzepten. (vgl. *Ewers, Michael:* Case Management – Anglo-amerikanische Konzepte und ihre Anwendbarkeit im Rahmen der bundesdeutschen Krankenversorgung Reihe: WZB-Discussion-Papers, P96–208, S.9f.,Wissenschaftszentrum Berlin für Sozialforschung, *Berlin 1996*)

Da alle am Behandlungsprozess beteiligten Akteure ihren spezifischen Beitrag im Rahmen der Entlassung leisten, setzt ein gelungenes Entlassungsmanagement in jedem Fall immer einen multidisziplinären Ansatz (Arzt, Sozialdienst, Pflege etc.) voraus. Deshalb fördert das Bundesministerium für Gesundheit und Soziale Sicherung ein Projekt des Deutschen Netzwerks für Qualitätsentwicklung in der Pflege (DNQP), in dem u. a. ein evidenzbasierter Expertenstandard zum »Entlassungsmanagement in der Pflege« entwickelt und modellhaft in Kliniken aller Versorgungsstufen eingeführt wurde. Dieser definiert den spezifischen pflegerischen Beitrag zum Entlassungsmanagement. (vgl. DNQP 2002)

Netzwerk Überleitung

Welche Fragestellungen und Interventionen sind nun zur Gewährleistung eines systematisch geplanten und multiprofessionellen Entlassungs- bzw. Überleitungsprozesses durch Pflegekräfte bei Inkontinenz erforderlich?
Zur Wiedererlangung von Kontinenz und/oder sozial und hygienisch akzeptabler Bedingungen muss der Patient über die Ursache und Form der Inkontinenz aufgeklärt sein. Die vollständige Aufklärung ist die Voraussetzung zur aktiven Teilnahme an Kontinenztrainingsmaßnahmen und die Bereitschaft zur Verwendung von Hilfsmitteln. Im Aufklärungsgespräch sind gemeinsam mit dem Patienten individuelle Versorgungsstrategien zu vereinbaren.
Im nächsten Schritt erfolgt die Beratung des Patienten. Neben der Aufklärung zum ermittelten Kontinenzprofil erfolgt die Unterweisung in die Umsetzung der geplanten Kontinenztrainingsmaßnahmen und die Benutzung des individuell ausgewählten Hilfsmittels.

Verschiedene Lebensumstände werden von kognitiven Einschränkungen begleitet. Die Aufgabe der Pflegekraft besteht nun in der Organisation der Versorgung durch eine Hilfsperson. Die Weiterversorgung kann durch einen Angehörigen oder einen nachversorgenden Dienst/Institution erfolgen. Werden die erforderlichen Maßnahmen von einem Angehörigen übernommen, ist diese Person in einem Gespräch zu beraten und in alle relevanten Maßnahmen theoretisch und praktisch einzuweisen. Übernimmt eine stationäre oder ambulante Einrichtung, so sind dieser Einrichtung alle erforderlichen Informationen zu übermitteln.

Der Ort, an dem der inkontinente Patient weiter versorgt wird, erfordert gerade für die Hilfsmittelversorgung ein differenziertes Vorgehen. Für die Versorgung im häuslichen Bereich muss geklärt werden, wie der Patient seine Inkontinenzhilfsmittel beziehen möchte. Zur Auswahl stehen Apotheke, Fachhandel und Homecare.
Die Zusammenarbeit mit den Bereichen Homecare und Fachhandel mit Homecare – Strukturen bietet sich an, da der Patient das benötigte Material in die Wohnung geliefert bekommt. Über diesen Service hinaus bieten derartige Dienstleister bereits Beratungsservice in der Klinik und in der Nachbetreuung an. Sollten somit Modifizierungen der Hilfsmittelversorgungen erforderlich sein, geschieht dies reibungslos. Des Weiteren organisieren solche Dienstleister z. T. die Rezeptierung und Kostenübernahme mit der zuständigen Krankenkasse. Die Hilfsmittel müssen am Entlassungstag in der Wohnung zur Verfügung stehen!

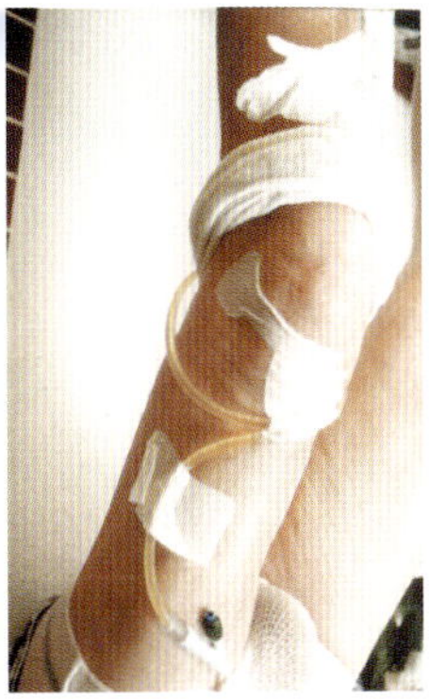

Abschreckendes Beispiel – es ist eigentlich unbeschreiblich: Das Bild zeigt einen Patienten der so mit einem sog. »Beinbeutel« entlassen wurde ...

Erfolgt die Mitversorgung durch einen ambulanten Pflegedienst, so ist dieser vor der Überleitung des Patienten über die aktuelle Situation zu informieren. Hierzu gehören Informationen über die aktuelle Hilfsmittelversorgung und deren logistische Bereitstellung, Stand der Kontinenztrainingsmaßnahmen und weiter zu planende Schritte.

Erfolgt die Weiterversorgung durch eine stationäre Einrichtung, so ist diese vor der Überleitung des Patienten ebenfalls über die aktuelle Situation zu informieren. Hierzu gehören Informationen über die aktuelle Hilfsmittelversorgung, Stand der Kontinenztrainingsmaßnahmen und weiter zu planende Schritte.Rechtzeitig vor der Übernahme ist die weiter betreuende Einrichtung über die verwendeten Hilfsmittel zu informieren, um Versorgungslücken zu vermeiden.

Bei Weiterversorgung des Patienten durch eine ambulante oder stationäre Pflegeeinrichtung empfiehlt sich die Erstellung eines Überleitungsbogens. Unter der ATL Ausscheiden erfolgt eine Darstellung der kompletten Ausscheidungssituation, der Hilfsmittelversorgung und weiter zu planender Schritte zur Erlangung von Kontinenz. In diese Dokumentation sind ggf. abschließende Beurteilungen der Physiotherapie und/oder Ergotherapie einzufügen.

Erfolgt die Weiterversorgung im häuslichen Bereich ohne Beteiligung eines ambulanten Pflegedienstes, sind die gewonnenen Informationen an den weiterbehandelnden Arzt zu geben. Es muss dafür gesorgt werden, dass der Pflegebericht als Anhang an den Arztbrief gelangt, oder der Bericht integraler Bestandteil des Arztbriefes wird.

Dietmar Hegeholz

20. Immer für Sie da

Engagement und Initiativen im Zeichen der Kontinenzförderung

Deutsche Kontinenz Gesellschaft e. V.

Gründung

Die Deutsche Kontinenz Gesellschaft e. V. wurde unter dem Namen »Gesellschaft für Inkontinenzhilfe e. V.« am 18. November 1987 als gemeinnütziger Verein gegründet.

Mitglieder (z. Zt. ca. 2.600)

- Ärzte
- Pflegeberufe
- Physiotherapeuten
- Betroffene
- Apotheker

Struktur

- Medizinisch-wissenschaftliche Gesellschaft mit dem Schwerpunkt der Patientenberatung
- Ehrenamtlich multidisziplinär besetzter Vorstand
- Förderkreis aus Pharma- und Herstellerfirmen
- Beirat durch Fachgesellschaften

Zweck & Aufgaben

- Förderung von Maßnahmen zur Prävention, Diagnostik und Behandlung der Harn- und Stuhlinkontinenz
- Förderung und Koordination von Forschung, Praxis & Lehre in der interdisziplinären Behandlung der Inkontinenz
- Konzipierung und Durchführung von regionalen Fortbildungsveranstaltungen, nationalen Kongressen und Informationsveranstaltungen für Patienten
- Gezielte Öffentlichkeitsarbeit, insbesondere auch Beiträge in öffentlichen Medien, um Inkontinenz aus der Tabuzone zu holen
- Förderung von Selbsthilfegruppen (z Zt. 50 der Gesellschaft angeschlossene Kontinenz-SHG)
- Mitgliederzeitschrift »kontinenz aktuell« erscheint 4x/Jahr

DVET Fachverband Stoma und Inkontinenz e. V.

Gründung

Der DVET Fachverband Stoma und Inkontinenz wurde am 28.03.1979 als Deutsche Vereinigung der Enterostomatherapeuten (DVET) in Düsseldorf gegründet. Die Namensänderung beschlossen die Mitglieder im Jahr 1994, die Umwandlung in einen Berufsverband 1999.

Mitglieder (z. Zt. ca. 190)

- Pflegende mit spezieller Weiterbildung
- Pflegende aus allen Pflegeberufen
- Mitglieder aus dem Homecare-Bereich und aus anderen Berufsgruppen im Gesundheitswesen
- Mitglieder aus dem Handel und den Herstellerfirmen

Struktur

- Fachverband der Pflege mit Schwerpunkt Pflegeberatung und Kernkompetenz in den Fachbereichen Stoma, Kontinenz und Wunde
- Korporative Mitgliedschaft im Deutschen Berufsverband für Pflegeberufe (DBfK)
- Mitgliedschaft im Weltbund der Krankenschwestern und Krankenpfleger (ICN)
- Ehrenamtliche Arbeit in Vorstand und Arbeitsgruppen

Zweck & Aufgaben

- Qualitätssicherung der Pflege mit Schwerpunkt Stoma, Kontinenz und Wunde als eigenständiger Fachbereich im Gesundheitswesen
- Professionalisierung der Pflegeden durch Aktualisierung der 1992 in Zusammenarbeit mit dem DBfK konzipierten und umgesetzen fachspezifischen Weiterbildung in Deutschland
- Öffentlichkeitsarbeit (Homepage)
- Durchführung von nationalen Kongressen und Fortbildungsveranstaltungen
- Herausgeber der Fachzeitschrift MagSI *Magazin Stoma + Inkontinenz + Wunde*
- Qualitätssicherung durch Entwicklung von Pflegestandards und Leitlinien
- Zusammenarbeit und Mitgliedschaft mit/in Selbsthilfegruppen, Verbänden, Gesellschaften, Institutionen, Berufsverbänden und Vereinigungen im Gesundheitswesen.

ECET Deutschland e. V.

Gründung
Im Juni 2003 in München als European Council of Enterostomal Therapy Deutschland e. V.

Mitglieder (z. Zt. ca. 100)
- Interessierte aus den Pflegeberufen (v. a. auch mit Weiterbildung für Stomapflege, Kontinenzstörungen und Wundversorgung)
- Berufs-, Selbsthilfe- und Interessensverbände
- Hilfsmittelindustrie

Struktur
- Mitgliederversammlungen
- Arbeitsausschüsse
- Fortbildungen
- Tagungen, Kongresse
- Homepage

Zweck & Aufgaben
- Förderung der Entwicklung und Erhaltung hoher pflegerischer Qualitätsstandards und die Beachtung ethischer Grundsätze in der Stomapflege, Kontinenzförderung sowie der Wundversorgung
- Unterstützung der Mitglieder bei der optimalen Entwicklung des Berufsumfeldes in Deutschland mit Blick auf Europa
- Diskussion und Koordination von Aus-, Fort- und Weiterbildungstandards auf hohem Niveau sowie deren Umsetzung und Anerkennung
- Förderung des nationalen und europäischen Informationsaustausches zwischen den beteiligten Berufs- und Interessensgruppen

Zum guten Schluss ...
möchten wir Ihnen als besonderes »Schmankerl« das innovative Projekt der Stadt an der schönen blauen Donau präsentieren.
Das Modell »Wien« kann 3 Dinge deutlich machen:

1. Es ist machbar!
2. Es macht Lust auf Mehr, auch in Deutschland!
3. Es ist Gewinn bringend: alle Beteiligten, auch die Pflegenden, werden vom Looser zum Winner!

Die Kontinenzberatungsstellen des »Fonds Soziales Wien«

Seit 1993 können Wienerinnen und Wiener von der Stadt Wien finanzierte Beratungsstellen für Kontinenz besuchen. Maßgeblichen Anteil daran hatte das Engagement einer diplomierten Krankenschwester aus dem Bereich der Mobilen Hauskrankenpflege der Stadt Wien. Sie besuchte als erste Österreicherin – und eine der ersten Fachkräfte – London, um dort an einer Fortbildung für Kontinenzpflege teilzunehmen. Dieses Fachgebiet fristete seinerzeit – mit Ausnahme von England – ein stiefmütterliches Dasein.

Anfang der 90er Jahre beschränkten sich auch in Wien die pflegerischen Maßnahmen in der Mobilen Hauskrankenpflege auf die Anwendung von transurethralen Dauerkathetern oder Schutzhosen. In England wurde zu diesem Zeitpunkt längst ein langfristiger Denkansatz gepflegt: Man hatte die hohen Folgekosten von Inkontinenz erkannt und die Berufsgruppe der Kontinenzberater / »Nurse Continence Advisor« (NCA) ins Leben gerufen.

In London lernte die Krankenschwester aus Wien erstmals die Tätigkeiten und das Aufgabengebiet der Kontinenzberater kennen. Sie sammelte Wissen und Erfahrung über die unterschiedlichen Inkontinenzformen und die verschiedenen konservativen und pflegerischen Therapiemöglichkeiten.

Die neuen Erkenntnisse ließen ein Konzept entstehen, das von der verantwortlichen Pflegedienstleitung in Wien 1993 angenommen wurde und noch im selben Jahr in der Gründung der ersten Kontinenzberatungsstelle resultierte. Der Erfolg war so groß, dass es ein Jahr später schon drei derartige Beratungsstellen gab, in denen von Inkontinenz betroffene Menschen Rat und Hilfe fanden. Nach und nach wurden die Kontinenzberatungsstellen weiter ausgebaut.
Seit 2004 sind die Beratungsstellen im »Fonds Soziales Wien« eingegliedert. Der Weg, durch bedarfsgerechte Information und entsprechender Hilfsangebote die Lebensqualität zu erhalten und hohe Folgekosten für die Gesellschaft zu vermeiden, wurde konsequent weiter beschritten.

Heute finanziert die Stadt fünf in Vollzeit tätige diplomierte Gesundheits- und Krankenschwestern/Fachschwestern für Kontinenz- und Stomaberatung, die in neun Wiener Beratungsstellen tätig sind. Die Beratungsleistung kann telefonisch, via Internet, persönlich in den Beratungsstellen und – falls die Betroffenen nicht mehr in der Lage sind, die Wohnung zu verlassen – durch einen Hausbesuch erfolgen.

Das vielfältige Aufgabengebiet der Beraterinnen umfasst:

- Fachlich spezifische Beratung für Betroffene und deren Angehörige sowie allen an der Pflege beteiligten Personen
- Informationsweitergabe über konservative Therapiemöglichkeiten aus pflegerischer Sicht
- Vermittlung an Fachambulanzen und Zusammenarbeit mit niedergelassenen praktischen und Fachärzten
- Durchführung angeordneter Therapien und spezieller pflegerischer Maßnahmen
- Schulung und Anleitung von Betroffenen und – nach Einverständnis – deren Angehörigen
- Pflegeplanung, Milieugestaltung (wie Platzierung des Toilettenstuhls oder von Haltegriffen) und Materialberatung nach individuellen und ökonomischen Gesichtspunkten und Hilfestellung bei der Organisation

- Kooperation und Kommunikation mit anderen Berufsgruppen und Selbsthilfegruppen
- Fort-und Weiterbildung, Praxisanleitung für Pflegehelferinnen, Heimhelferinnen und in Gesundheits- und Krankenpflegeschulen zum Thema »Spezielle Pflege inkontinenter Menschen«
- Prävention durch Begleitung und Organisation von Beckenbodengymnastikkursen
- Öffentlichkeitsarbeit im Sinne von Informationsveranstaltungen für Betroffene, Selbsthilfegruppen und am Thema Interessierte.

Mittlerweile werden auch in Kooperation mit anderen Bereichen aus dem Gesundheitswesen durchgeführt: Im Jahr 2005 wurde mit dem Wiener Programm für Frauengesundheit das Projekt »Alles unter Kontrolle« gestartet. Es fokussiert Frauen, da diese viel häufiger von Harninkontinenz betroffen sind als Männer. Die Aktion wird in allen Phasen durch einen wissenschaftlichen Beirat, der dem Projekt vorsteht, diskutiert, evaluiert und begleitet.

Die von der Stadt Wien finanzierten Beratungsstellen sind ein wertvolles, kostenloses Serviceangebot für alle von Inkontinenz betroffenen Menschen der Stadt. Den Fachschwestern der Kontinenzberatung kommt dabei durch Erkennen und Einschätzen der Harninkontinenz sowie der Kontinenzförderung und der Prävention eine bedeutende Rolle zu. Ziel der Beratungsstellen ist es, die Kontinenz zu erhalten bzw. sie so zu fördern, dass Harninkontinenz beseitigt oder bestmöglich reduziert bzw. bei möglichen Kontinenzproblemen einer Inkontinenz vorgebeugt wird.

Gisele Schön
Leiterin der Beratungsstellen für Kontinenz des »Fonds Soziales Wien«

Appendices

Stichwortverzeichnis

Bildnachweis

Fotos

Umschlagfotografie	Evelyn Meusel
B. Braun	S. 119
Boelker, Thomas	S. 13, 37, 43, 51, 55, 56, 59, 62, 64, 67, 73 rechts, 93, 95, 97, 107, 111, 115, 121, 139, 141 oben, 142, 143, 144 oben, 144 Mitte, 147, 155, 157,
Busemann-Sauer, Stefanie	S. 127, 131, 132, 133
Coloplast	S. 7, 73, 80, Mitte, 87, 89, 90 oben, 91, 120, 141 Mitte, 141 unten
Hollister	S. 73 Mitte, 124
Medical Service	S. 71, 90 Mitte, 90 unten
Mentor Healthcare	S. 141 Mitte
Noreiks, Tabea	S. 39, 112, 158, 161
Nowak, Miroslawa	Inneneinband hinten
Raulf, Dr. Franz	S. 99, 103, 104, 105
Sauer Continence	S. 73 oben, 90 Mitte, 143 Mitte
Spancken, Günter	S. 154
Webelhuth, Gabi	Inneneinband vorne, S. 15, 21, 153
Webelhuth, Wolfgang	S. 23, 24, 26, 29, 33, 34, 35, 68, 81, 82, 83, 84, 89, 144 unten

Grafiken

Coloplast	S. 12, 68, 75, 123
Harenkamp, Kay	S. 31, 34
Kammereck, Bernd	S. 60, 98

Literaturnachweis

Alken, P. / Walz, P. H.
Urologie
Chapman & Hall GmbH (1998)

Bach, D. / Brühl, P.
Nosokomiale Harnwegsinfektionen
Jungjohann Verlagsgesellschaft mbH (1995)

Bähr, R.
Individuelle Inkontinenzversorgung Teile 1–3
In: Heilberufe – Pflegekolleg
Urban& Vogel Verlag (2004)

Behnje, H. / Espendiller, K. / Okwieka, M. / Ramrath-Schweers, S.
Kultursensible Pflege bei Patienten mit Kontinenzstörungen
Projektarbeit im Rahmen der 2-jährigen Weiterbildung
Inkontinenz und Stomapflege am Bildungszentrum Ruhr (2005)

Boelker, Th. / Webelhuth, W.
Durch dick und dünn – Das Buch für Stomapflege und Harnableitung
Druckhaus Schmücker (2. Aufl. – 2003)

Deutsches Netzwerk für Qualitätsentwicklung in der Pflege (DNQP)
Expertenstandard »Entlassungsmanagement in der Pflege«
DNQP (2004)

Deutsches Netzwerk für Qualitätsentwicklung in der Pflege (DNQP)
Expertenstandard »Förderung der Harnkontinenz«
DNQP (2006)

Eichenauer, R. / Sandmann J. / Vanherpe, H.
Klinikleitfaden Urologie: Untersuchung – Diagnostik – Therapie – Notfall
Urban & Fischer Verlag (2003)

Geske, G. / Henschel, A. / Kalka, J. / Moldt, H.
Die Bedeutung der Ernährung bei Patienten mit Kontinenzstörungen
Projektarbeit im Rahmen der 2-jährigen Weiterbildung
Inkontinenz und Stomapflege am Bildungszentrum Ruhr (2005)

Göllner, A. / Schwantes, U. / Topfmeier, P.
Aktiv und vital bei Blasenschwäche
Falken Verlag (1998)

Grond, E.
Pflege Inkontinenter
Brigitte Kunz Verlag (1997)

Henschel, A. / Moldt, H.
Stoma adieu – Stuhlkontinenzstörungen nach Rektumresektion
Abschlussarbeit im Rahmen der 2-jährigen Weiterbildung
Inkontinenz + Stomapflege am Bildungszentrum Ruhr (2006)

Höfner, K. / Jonas, U.
Praxisratgeber Harninkontinenz
UNI-MED Verlag (2000)

Kost, D.
Absorbierende Einmalhilfsmittel,
In: Heilberufe spezial – Harninkontinenz
Urban & Vogel Verlag (2004)

Lippold, S. / Madle, C. / Renpening, H. / Schirrwagen, N. / Schoppen, A.
Beeinträchtigung der Sexualität bei Kontinenzstörungen
Projektarbeit im Rahmen der 2-jährigen Weiterbildung
Inkontinenz und Stomapflege am Bildungszentrum Ruhr (2005)

Norton, C.
Praxishandbuch – Pflege bei Inkontinenz
Urban & Fischer Verlag (1999)

Poll, T.
Pflegeanleitung Urologie – Basiswissen
Chapman & Hall GmbH (1997)

Sachsenmaier, B.
Inkontinenz
Schlütersche Verlagsanstalt & Druckerei (1991)

Sökeland, J. / Schulze, H. / Rübben, H.
Urologie – Verstehen – Lernen – Anwenden
Georg Thieme Verlag (2004)

Sökeland, J.
Katheterismus
Spitta Verlag GmbH (1998)

Sökeland, J.
Urologie für Pflegeberufe
Georg Thieme Verlag (2000)

Stöhrer, M. / Madersbacher, H. / Palmtag, H.
Neurogene Blasenfunktionsstörung, neurogene Sexualstörung
Springer Verlag (1997)

Ullrich, L.
Zu- und ableitende Systeme
Georg Thieme Verlag (2000)

Webelhuth, W.
Uro care – Das Buch für urologische Pflege
Klartext GmbH – Edition Leander (2003)

van der Weide, M.
Inkontinenz – Pflegediagnosen und Pflegeinterventionen
Verlag Hans Huber (2001)

Zäch, G. A. / Koch, H. G.
Paraplegie Gesundheitliche Rehabilitation
Karger Verlag (2006)

Adressen
Bildungsträger und Fachverbände

Bildungszentrum Ruhr
Hospitalstraße 19, 44649 Herne
✆ (0 23 25) 9 86 27 38 · Fax:(0 23 25) 9 86 27 39
www.bildungszentrum-ruhr.de · sekretariat@bildungszentrum-ruhr.de

DAA Kassel, Fachbereich Gesundheit & Soziales
Angersbachstraße 4 · 34127 Kassel
✆ (05 61) 80 70 61 53
www.daa-kassel.de · Schmidt-Jungblut@daa-bw.de

Diakonisches Institut für soziale Berufe
Bodelschwinghweg 30 · 89160 Dornstadt
✆ (0 73 48) 98 74 0 · Fax: (0 73 48) 98 74 30
www.di-dornstadt.de · Info@di-dornstadt.de

Deutsches Netzwerk für Qualitätssicherung in der Pflege (DNQP) an der Fachhochschule Osnabrück
Postfach 1940 · 49009 Osnabrück
✆ (05 41) 96 92 004 · Fax: (05 41) 96 92 971
www.dnqp.de · j.schemann@fh-osnabrueck.de

Deutsche Kontinenz Gesellschaft e. V.
Geschäftsstelle Friedrich-Ebert-Straße 124 · 34119 Kassel
✆ (05 61) 78 06 04 · Fax: (05 61) 77 67 70
Hotline für Patienten (0 18 05) 23 34 40 (12 ct./min.)
www.kontinenz-gesellschaft.de · info@kontinenz-gesellschaft.de

DVET Fachverband Stoma und Inkontinenz e. V.
Geschäftsstelle Virchowstraße 14 · 38642 Goslar
✆ (0 53 21) 5 10 80 · Fax: (0 53 21) 38 95 14
www.dvet.de · dvet@gmx.de

ECET Deutschland e. V.
Geschäftsstelle Gebsattelstraße 32 · 81541 München
✆ +49(89) 72 48 88 75 · Fax: +49(89) 72 48 88 76
www.ecet.de · kontakt@ecet.de

Adressen
Hersteller-/Vertriebsfirmen Deutschland

Astra Tech GmbH
An der kleinen Seite 8 · 65604 ELZ
☏ (0 64 31) 9 86 90 · Fax: (0 64 31) 9 86 95 00
www.astratech.de · kundenservice@astratech.com

B. Braun Melsungen AG – Sparte OPM
Carl-Braun-Straße 1 · 34212 Melsungen
☏ (0 56 61) 71 33 99 · Fax: (0 56 61) 71 35 50
www.bbraun.de · info@bbraun.com

Coloplast GmbH
Kuehnstraße 75 · 22045 Hamburg
☏ (040) 66 98 07-77 · Fax: (040) 66 98 07-48
www.coloplast.de · devks@coloplast.de

Convatec Vertriebs GmbH
Sapporobogen 6–8 · 80637 München
☏ (089) 1 21 42-0 · Fax: (08 00) 7 60 10 00
www.convatec.de · convatec.servicede@bms.com

Hollister Inc.
Niederlassung Deutschland · Postfach 1323 · 85767 Unterföhring
☏ (089) 99 28 86-0 · Fax: (089) 99 28 86-145
www.hollister.de · hollister.deutschland@hollister.com

Medical Service GmbH
Luisenstraße 8 · 75378 Bad Liebenzell
☏ (0 70 52) 40 31 00 · Fax: (0 70 52) 40 31 20
www.medical-service.de · info@medical-service.de

Mentor Healthcare . Porgès GmbH
Ludwigstraße 45 Haus C · 85399 Hallbergmoos
☏ (08 11) 6 00 50-80 · Fax: (08 11) 6 00 50-81
www.mentor-freedom.de · info@mentor-healthcare.de

PaperPak Germany GmbH (Attends-Produkte)
Am Kronberger Hang 3 · 65824 Schwalbach
✆ (0 61 96) 5 08 94 00 · Fax: (0 61 96) 5 08 94 23
www.attends.de

Paul Hartmann AG
8952 Heidenheim
✆ (01 80) 2 30 42 75
www.hartmann.info · customer.service@hartmann.info

Sauer Continence GmbH
Neurott 7 · 74931 Lobbach
✆ (0 62 26) 96 00 69 · Fax: (0 62 26) 96 00 10
www.sauercontinence.de · info@sauercontinence.de

SCA Hygiene Products GmbH (Tena-Produkte)
Sandhofer Straße 176 · 68305 Mannheim
✆ (06 21) 7 78 37 00 · Fax: (0 18 02) 12 12 21
www.tena.de

Teleflex Medical GmbH (Rüsch-Produkte)
Willy-Rüsch-Straße 4–10 · 71394 Kernen
✆ (0 71 51) 40 60 · Fax: (0 71 51) 40 61 50
www.ruesch.de · info@teleflexmedical.com

Tyco Healthcare Deutschland GmbH
Gewerbepark 1 · 93333 Neustadt/Donau
✆ (0 94 45) 95 90 · Fax: (0 94 45) 95 91 55
www.tycohealth.de · info.de@emea.tycohealthcare.com

Uromed Kurt Drews GmbH
Meessen 7 · 22113 Oststeinbek
✆ (040) 71 30 07 0 · Fax: (040) 71 30 07 99
www.uromed.de · service@uromed.de

Weitere Literatur der Autoren

durch **dick** und dünn

Das Buch für Stomapflege und Harnableitung

2., überarbeitete und erweiterte Auflage (2003)

Druckhaus Schmücker, Menden

info@druckhaus-schmuecker.de

ISBN 3-9805493-2-1 · 29,00 Euro

Stomapflege und Harnableitung sind Teilbereiche der Pflege, die in den letzten Jahren im klinischen wie auch ambulanten Bereich zunehmend an Bedeutung gewonnen haben.

Ein fundiertes Wissen um Indikationen, Versorgungsprinzipien und kompetenten Umgang mit Komplikationen schafft die Voraussetzungen, den gewachsenen pflegerischen Anforderungen gerecht zu werden.

Den beiden Autoren, Thomas Boelker und Wolfgang Webelhuth, ist es auf dem Hintergrund langjähriger Erfahrung in chirurgischer und urologischer, klinischer wie auch ambulanter Pflege gelungen, ein besonderes, praxisnahes Buch für die Pflege zu schreiben.

»Das lesefreundliche Kompendium erhält alles Wesentliche zum Thema ...«
(Heilberufe)

»Entscheidend bei diesem Werk ist jedoch das Wie. Das Buch ist nicht nur inhaltlich wertvoll, sondern macht vor allem Spaß, und diese Kombination findet man in der Fachliteratur äußerst selten!« *(Häusliche Pflege)*

Mit der 2. Auflage gelang eine überzeugende, zeitnahe Überarbeitung. Neben einigen neuen Kapiteln bereichern die Co-Autoren Dr. Franz Raulf und Prof. Dr. Zöller den medizinischen Grundlagenteil und runden das Bild ab.

Uro care
Das Buch für urologische Pflege
Wolfgang Webelhuth
Edition Leander
w.webelhuth@onlinehome.de
ISBN 3-00-010608-1 · 22,00 Euro

Eine ausführliche Darstellung der anatomischen Strukturen und physiologischen Abläufe führt in die vielschichtigen Abläufe im Rahmen der urologischen Pflege ein.
Die Beschreibung urologischer Erkrankungen sowie von Störungen männlicher Sexualfunktionen schließt sich an. Neben der Erläuterung der jeweiligen Krankheitsbilder sind die wichtigsten diagnostischen Schritte und die jeweiligen Behandlungskonzepte dargestellt.
Im folgenden Kapitel werden Diagnoseverfahren behandelt. Hier findet sich z. B. die Gewinnung von Harnproben,die endoskopische und die bildgebende Diagnostik sowie die Erklärung einer Reihe von Funktionstests.
Im größten Kapitel werden umfassend und aktuell die vielfältigen Gesichtspunkte der urologischen Pflege beschrieben – dabei reicht der Bogen von der psychosozialen Begleitung bei urologischen Erkrankungen über wesentliche Verrichtungen bei Operationen und diagnostischen Maßnahmen bis hin zur Versorgung von Drainagesystemen und operativ angelegten Harnableitungen.

»Die Texte sind gut strukturiert und leicht verständlich, zahlreiche Fotos und Zeichnungen illustrieren dieses praxisnahe Buch. Glossar, Adressen- und Stichwortverzeichnis runden das Werk ab.«
(Dr. Angelika Zegelin-Abt, M.A. · Pflegewissenschaftlerin)